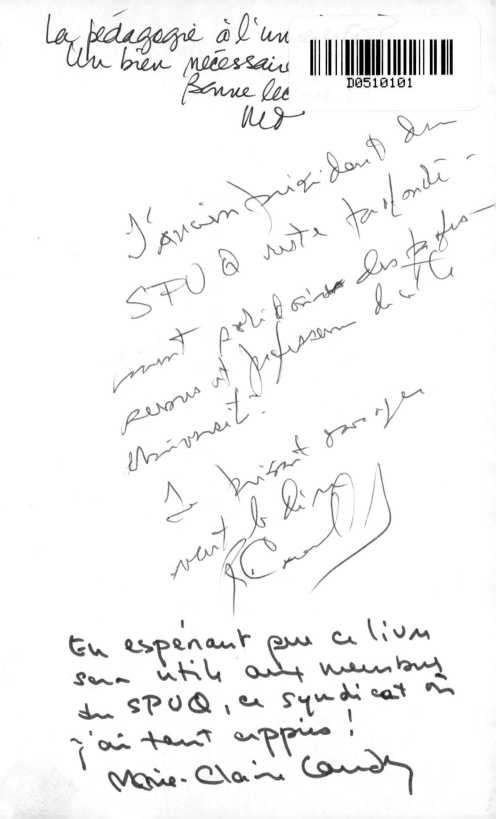

La pédagogie à l'un...
Un bien nécessair...
Bonne lec...
MD

J'ancien président du
SPU a reste profondé-
ment solidaire des professeurs et professeurs de sa
...

...
...

En espérant que ce livre
sera utile aux membres
du SPUQ, ce syndicat où
j'ai tant appris !
Marie-Claire Caudy

Pour vous aider à
négocier la prochaine
convention collective

Gilles Gauthier

COORDONNER ET PLANIFIER LES ENSEIGNEMENTS

—

GROUPES MULTIPLES ET GRANDS GROUPES

Collection «*Théories et pratiques dans l'enseignement*»
dirigée par Gilles Fortier et Clémence Préfontaine
série *Pédagogie universitaire*

La collection regroupe des ouvrages qui proposent des analyses sur des aspects théoriques et pratiques de l'enseignement, sans restriction quant à la matière enseignée. La collection veut refléter la réalité scolaire et ses aspects didactiques.

Ouvrages parus dans la collection «*Théories et pratiques dans l'enseignement*»

Michelle Thériault
Robert Couillard
Gilles Gauthier
Marie-Claire Landry

COORDONNER ET PLANIFIER LES ENSEIGNEMENTS

—

GROUPES MULTIPLES ET GRANDS GROUPES

Les Éditions
LOGIQUES

La publication du présent ouvrage a été rendue possible grâce à la contribution financière du Décanat des études de premier cycle de l'Université du Québec à Montréal.

Dans cet ouvrage, l'utilisation du masculin pour désigner des personnes a comme seul but d'alléger le texte et d'identifier sans discrimination les individus des deux sexes.

Couverture : Manon André
Révision linguistique : Camille Gagnon
Mise en pages : Suretex

Les Éditions LOGIQUES inc.
C.P. 10, succ. «D», Montréal (Québec), H3K 3B9
Tél. : (514) 933-2225 FAX : 933-2182

COORDONNER ET PLANIFIER LES ENSEIGNEMENTS
GROUPES MULTIPLES ET GRANDS GROUPES
© Les Éditions LOGIQUES inc., 1994
Dépôt légal: 3e trimestre 1994
Bibliothèque nationale du Québec

N° d'éditeur : LX-290

ISBN 2-89381-252-X

Table des matières

AVANT-PROPOS

Origine du projet

D'où vient l'idée de constituer un groupe de travail et de faire une étude sur le sujet? En 1987-1988, Michelle Thériault, professeur au Département des sciences juridiques de l'Université du Québec à Montréal (UQAM), a obtenu une subvention du Fonds de développement pédagogique de l'UQAM, pour faire une étude visant à améliorer la qualité de l'enseignement du cours JUR1031 *Introduction au droit des affaires*, destiné à une abondante clientèle d'étudiants en sciences de la gestion répartie dans plusieurs groupes-cours de taille variable.

Le dépôt du rapport de recherche découlant de cette subvention a fait naître l'idée de regrouper différentes personnes intéressées pour pousser plus loin les questions portant sur la coordination des enseignements et l'enseignement à des grands groupes et d'impliquer l'institution. C'est à compter de ce moment qu'une autre demande de fonds a été soumise au Fonds de développement pédagogique et que le présent projet a vu le jour.

Formation et composition du comité

Au départ, en 1988, le comité de travail était formé de cinq professeurs de l'UQAM, de Robert Couillard (Décanat des études de premier cycle) et de Maurice Tremblay (Gestion des ressources). Cependant, en cours

9

de route, certains ont dû nous quitter. Il s'agit de Jocelyn R. Beausoleil (Dép. des sciences de l'éducation), Georges Laferrière (Dép. de théâtre) et Maurice Tremblay. Aujourd'hui, les professeurs Michelle Thériault (Dép. des sciences juridiques), Marie-Claire Landry (Dép. des sciences de l'éducation) et Gilles Gauthier (Dép. de mathématiques et d'informatique) ainsi que le doyen adjoint Robert Couillard composent le comité sur la pédagogie des grands groupes et la coordination des enseignements et signent le présent document.

Ensuite, un groupe de travail plus élargi a été formé pour aller chercher à différents moments la rétroaction d'intervenants du milieu. Ce groupe a été formé des collaborateurs suivants: Marcel Chaussé (chargé de cours, Dép. des sciences comptables), Benoît Corbeil remplacé par Francine Beaulieu (Régie des locaux), Brigitte Groulx (Services académiques), Colette Poirier-Hamel (chargée de cours, Dép. des sciences de l'éducation) et Josée Dumoulin (Décanat des études de premier cycle).

Le comité a consulté plusieurs personnes pour l'accomplissement de différentes tâches. Ces consultants sont: Jean-Yves Lescop et France Henri (pédagogues), la firme UQAM-BCP Jr, Claudine Nézet-Séguin (chargée de cours, Dép. des sciences de l'éducation), Denis Rivest (Bureau de recherche institutionnelle).

Objectifs du comité

Nos objectifs ont consisté depuis le début à faire une analyse de la situation ainsi qu'à élaborer une problématique. Il s'agit surtout d'informer, en définissant les conditions dans lesquelles l'enseignement à des grands groupes et la coordination des enseignements peuvent

10

être utilisés de façon pertinente et en établissant les paramètres pour leur mise en œuvre.

Il n'a jamais été question pour nous ni d'intervenir politiquement ni d'imposer de quelque façon l'utilisation de l'enseignement aux grands groupes ou de la coordination des enseignements, quoique cette dernière s'impose peut-être d'elle-même. Notre objectif est essentiellement pédagogique et nullement d'économie budgétaire.

Procédure suivie et méthodes de travail utilisées

Pour atteindre nos objectifs, notre travail s'est échelonné sur une période de plus de quatre ans et a consisté en de multiples rencontres et discussions. Plusieurs étapes ont été franchies.

Pour cerner la dimension plus théorique du sujet, nous avons commencé par recenser les écrits afin de colliger ce que les auteurs avaient dit sur la question. Avec la collaboration du Groupe de recherche en informatique et droit (GRID), les catalogues BADADUQ et CD-ROMS (ERIC)[1] ont été consultés. Les écrits recensés proviennent principalement des États-Unis et consistent en des rapports de recherche, des résumés d'expériences vécues, des résumés de conférences, des guides d'enseignement et des recueils de textes. Ces

---

1 Les termes utilisés pour cette recension furent: pédagogie/groupe/taille; pédagogie/classe/taille; pédagogie/grand groupe; université/enseignement/grand groupe; enseignement/université/moyenne cible; enseignement/grand groupe. En anglais, le grand groupe se traduit par: *large class, large lecture class, large size class* ou *mass group* et *large group instruction.*

écrits se retrouvent principalement sur microfiches ou dans des revues spécialisées en éducation.

À partir de cette liste, nous avons commandé à des experts pédagogues une revue de la littérature pertinente dans le but d'articuler une bibliographie commentée et de donner l'état de la pensée sur le sujet. Nous leur avons demandé aussi de nous faire connaître les grandes dimensions à retenir sur l'enseignement à des grands groupes et la coordination des enseignements.

Ensuite, nous avons procédé à la recension des expériences vécues à l'UQAM et ailleurs. Nous avons voulu ajouter à notre perspective théorique le côté pratique et aller voir sur place comment se vivent l'enseignement aux grands groupes et la coordination des enseignements. Notre but ici était de recenser les pratiques actuelles des enseignants, de définir les conditions d'efficacité et d'identifier les difficultés rencontrées, les conséquences positives et négatives et les instruments pédagogiques nécessaires.

Un remue-méninges nous a permis d'épurer les idées que chacun d'entre nous pouvait avoir sur la question et de mettre en évidence comment chacun analysait la situation dans son département respectif. Un déjeuner-causerie de la série les «Beaux jeudis» a aussi été organisé par le Décanat des études de premier cycle de l'UQAM pour permettre au comité de présenter à la communauté universitaire les résultats de notre étude et recueillir d'autres commentaires sur le sujet.

Nous avons ensuite mené une enquête à l'UQAM en utilisant la méthode des groupes de discussion élargis composés d'enseignants (professeurs, chargés de cours, directeurs de département et de module) pour nourrir notre réflexion sur ces types de pédagogie. La firme UQAM-BCP Jr a été embauchée en 1991 par le groupe de travail pour s'occuper de la logistique de cette enquête, c'est-à-dire de la formation et de l'animation des groupes.

Les critères de sélection pour participer aux discussions étaient, pour l'enseignement à des grands groupes, d'avoir déjà enseigné à un groupe de 50 à 70 étudiants, ou de 70 à 120 ou de 120 et plus et, pour la coordination des enseignements, d'avoir donné un cours qui se répétait dans une même session. Au total, 63 enseignants de différents départements ont accepté l'invitation et 42 se sont effectivement présentés, de sorte qu'il y a eu formation de 7 groupes de discussion d'une durée de 2 heures chacune. Pour la coordination des enseignements, il y a eu 26 participants dont 15 professeurs et 11 chargés de cours pour former 4 groupes de discussion et parmi ceux-ci, un était composé uniquement de coordonnateurs et de directeurs de module ou de département. Pour l'enseignement aux grands groupes, il y a eu 16 participants, dont 8 professeurs et 8 chargés de cours, qui ont été répartis en 3 groupes.

Finalement, nous avons procédé à la rédaction du présent document d'information. Dans un premier temps, la tâche a été répartie de manière que chacun des membres du comité procède à la rédaction d'une partie de l'ouvrage. Il s'agissait ici pour chacun de colliger toutes les informations recueillies. Ensuite, Micheline Lalonde-Graton a procédé à une première rédaction du texte et uniformisé le tout. Enfin, de nombreuses autres rencontres du comité ont permis d'en arriver à la rédaction finale du présent document.

Remerciements

Le présent ouvrage est le fruit d'une véritable expérience de travail en équipe. La composition de notre groupe de travail a varié au fil des années. Plusieurs personnes ont collaboré à cet ouvrage de plus d'une façon et nous désirons remercier chaleureusement chacune d'entre elles pour leur précieuse contribution.

Nous remercions Chantal Bouthat, Richard Prégent, Huguette Bernard, France Fontaine et Monique Chaput pour les critiques dont ils nous ont fait profiter.

Enfin, nous désirons signaler la collaboration particulière de Madame Lalonde-Graton à qui nous avons demandé de produire une première ébauche du résultat de nos réflexions à partir de documents épars que nous avions réalisés.

INTRODUCTION

Les universités nord-américaines ont connu, durant les deux dernières décennies, une augmentation substantielle et constante du nombre d'étudiants au premier cycle. Une plus grande accessibilité aux études supérieures est, à l'évidence, étroitement liée à ce phénomène. Mais il faut aussi y voir l'effet de nouvelles demandes faites à l'Université par la société, en regard de nouvelles exigences et de nouveaux contextes tant internes qu'externes. Ce qui se traduit par une augmentation et une diversification significatives des programmes d'études. Il en résulte un accroissement considérable du nombre d'étudiants qui s'inscrivent à une même activité de formation. La problématique liée à la gestion pédagogique des groupes multiples ou des grands groupes prend donc une nouvelle dimension stratégique et nécessite une réflexion profonde quant aux modes de fonctionnement à privilégier afin de répondre le plus adéquatement possible aux besoins de formation des étudiants dans leur programme.

L'Université du Québec à Montréal illustre parfaitement ces nouvelles tendances dans l'enseignement supérieur. Il n'est donc pas étonnant de constater qu'il y a plusieurs grands groupes à l'UQAM et un grand nombre de cours répétés plusieurs fois. La question est donc bien là, incontournable.

Les tableaux 1 et 2 donnent une image globale de la situation pour l'année universitaire 1992-1993. Il faut rester prudent dans l'interprétation de ces chiffres; des analyses plus fines seraient nécessaires pour dégager, selon différents critères, des évaluations plus complètes et plus précises. Ils n'en ont pas moins une valeur illustrative quant à l'ampleur et à l'importance des questions soulevées.

Les grands groupes à l'UQAM

Le tableau 1 indique que 250 groupes-cours mis à l'horaire en 1992-1993 appartiennent à l'une des deux catégories suivantes:

- groupes comptant soixante personnes inscrites et plus;
- groupes comptant un nombre de personnes inscrites égal au moins au double de la moyenne cible, tout en comptant moins de 60 personnes.

Si on retire ces derniers groupes-cours réunissant des cas fort variables et difficilement comparables, les groupes-cours restant représentaient 3 % de la commande totale de cours faite cette année-là, mais s'adressaient à plus de 18 000 étudiants-cours.

Les motifs qui interviennent dans la décision de constituer un grand groupe sont multiples. Quelquefois, cette décision traduit une réelle intention pédagogique bien planifiée. Souvent, par contre, cette décision n'est que le résultat d'une planification incertaine et apparaît alors comme une solution pratique sinon une nécessité de circonstance. Tantôt il s'agit de vouloir créer plus d'espace pour des cours moins fréquentés, tantôt il s'agit tout simplement de permettre un aménagement plus favorable de la tâche d'un enseignant. Et il peut arriver aussi, bien sûr, que cette décision ne se ramène qu'à la recherche de «retours sur économies». Considérant ces pratiques et sachant que plus de 18 000 étudiants-cours

Tableau 1

Nombre et distribution des groupes-cours où les inscriptions égalent ou dépassent 60 étudiants ou le double de la moyenne cible, année universitaire 1992-1993, par trimestre.

Nombre d'étudiants	Été 1992	Aut. 1992	Hiver 1993	Année 92-93
60 à 79	6	64	68	138
80 à 99	1	20	15	36
100 à 119	—	10	9	19
120 et plus	—	12	5	17
moins de 60, mais double de la moyenne cible	—	22	18	40
Total	7	128	115	250

Notes. Données compilées par Denis Rivest du Bureau de la recherche institutionnelle, UQAM.

sont concernés chaque année par cette situation, une réflexion pédagogique s'impose.

Pourtant, l'UQAM n'a jamais fait le choix d'une stratégie de grands groupes dans ses pratiques d'organisation de l'enseignement et ce, même si la question des grands groupes a été souvent posée. Ici comme ailleurs, la méfiance envers les grands groupes a toujours été forte chez les enseignants qui s'interrogent sur la qualité de l'enseignement pouvant être offert dans un tel cadre. Reconnaissant que le ratio étudiants/enseignant reflète le degré d'individualisation qui existe au sein du système d'éducation, bon nombre d'enseignants sont d'avis qu'un ratio élevé risque de diminuer la qualité d'enseignement parce qu'il devient difficile d'établir des relations étroites avec les étudiants.

Cette préoccupation n'est évidemment pas à rejeter, mais la question ainsi posée reste incomplète. D'abord, ce problème n'est pas insurmontable; comme nous le verrons, plusieurs expériences vécues montrent qu'il est possible de personnaliser les enseignements malgré un nombre élevé d'étudiants dans un groupe-cours.

Les groupes multiples à l'UQAM

Une problématique des grands groupes ne saurait se réduire à la simple dimension quantitative des groupes-cours, mais doit être posée dans un cadre pédagogique global.

Surtout, l'absence de toute pensée et de toute stratégie de grands groupes dans une université de grande taille entraîne aussi des effets et un prix pédagogiques. Il en résulte, notamment, une politique réelle de répétition systématique de très nombreux cours. Il ne s'agit nullement de mettre en cause la qualité de l'enseignement dans chacun des groupes-cours. Mais il faut voir que certains autres problèmes sont posés par la multiplication des groupes. Notons, entre autres, l'encadrement inégal des étudiants, la diversité des objectifs et des modalités d'évaluation, la variation dans les contenus, l'actualisation aléatoire des connaissances.

Lorsqu'un cours, censé avoir ses objectifs spécifiques de formation dont il faut évaluer le degré d'atteinte et censé aussi avoir son propre rôle dans un cheminement d'apprentissage, est donné quarante fois ou plus en des lieux et à des moments différents et par des personnes différentes, il y a alors, croyons-nous, nécessité de coordination. Lorsque 337 cours (chacun donné cinq fois et plus) concernent 52 % des 6 457 groupes et tâches d'enseignement dans une année universitaire, la nécessité de coordination devient de toute évidence un devoir institutionnel. Les données du tableau 2 sont, à cet égard, des plus révélatrices en ce qui a trait de l'ampleur du phénomène des groupes-cours multiples à l'UQAM et à l'importance des conséquences pédagogiques de cette situation.

Tableau 2

Nombre de cours et fréquence des répétitions, année universitaire 1992-1993.

Fréquence	Nombre de cours	Nombre de groupes-cours	Nombre cumulatif de groupes-cours	Nombre d'étudiants-cours
40 fois et plus	6	300	300	11 870
30 à 39 fois	6	205	505	9 301
20 à 29 fois	12	287	792	12 388
15 à 19 fois	30	514	1 306	18 742
10 à 14 fois	57	662	1 968	22 498
5 à 9 fois	226	1 387	3 355	48 735
2 à 4 fois	816	2 051	5 406	67 819
1 fois	1 051	1 051	6 457	31 369
Total	2 204	6 457	6 457	222 722

Notes. Données compilées par Denis Rivest du Bureau de la recherche institutionnelle, UQAM.

Les départements et modules plus particulièrement touchés ont bien cherché à développer des mécanismes pour éviter les effets pervers. Quelquefois, par un retournement paradoxal, on a créé des grands groupes. On a cherché aussi à systématiser les pratiques de coordination des enseignements.

19

Toutefois, il faut constater que la solution de coordination ne va pas sans soulever beaucoup de questions quant à sa mise en application. Elle peut être perçue comme restrictive dans la mesure où elle repose sur l'adoption, par les enseignants d'une même équipe, de plusieurs éléments communs. Sa réalisation suppose un changement dans la perception des stratégies d'enseignement puisqu'elle implique, entre autres, la collaboration de tous les enseignants en vue d'assurer, à tous les groupes d'un même cours, l'atteinte des mêmes objectifs et la même qualité d'enseignement. Ce peut être, comme on le verra d'ailleurs, une entreprise difficile dont la réalisation est fort aléatoire, où la liberté académique est rapidement et facilement invoquée.

Cette exigence de coordination, quelle que soit la forme que celle-ci prendra, devient d'autant plus impérieuse que les programmes d'études sont eux-mêmes construits de manière plus rigoureuse, qu'ils sont centrés sur l'apprentissage de l'étudiant et qu'ils fixent, pour chaque activité des objectifs précis de formation, conférant ainsi à cette activité un rôle particulier dans le cheminement d'apprentissage de l'étudiant. L'enseignement y est une œuvre de coopération, non seulement en ce que chaque enseignant doive s'inscrire de manière cohérente et articulée dans l'entreprise collective de formation, mais aussi en ce que tous les étudiants puissent avoir accès à une même qualité de formation, donc d'enseignement.

Présentation de l'ouvrage

Dans les pages qui suivent, nous aurons l'occasion de souligner quelques belles réalisations en matière d'enseignement à des grands groupes ou de coordination des enseignements dans des groupes multiples. Cependant, il faut bien se rendre à l'évidence qu'il n'y a pas encore de pensée, de stratégie ou de norme un tant soit peu articulées relatives à ces questions. En fait, on constate plutôt que, lorsqu'une préoccupation pédagogique intervient dans la constitution d'un grand groupe ou dans l'implantation d'une coordination des enseignements, elle s'insère difficilement dans les normes établies et les dispositions des conventions collectives, même lorsque le projet est soutenu par l'établissement.

Il faut le rappeler, la préoccupation du groupe de travail a été d'ordre essentiellement pédagogique. Nous savons bien que le sujet même des grands groupes est presque toujours associé à des considérations d'ordre économique; à un point tel que le simple fait d'aborder la dimension pédagogique fait germer le doute. On constatera que le groupe de travail, sans ignorer naïvement les aspects «économiques», s'en est tenu à sa préoccupation principale. D'ailleurs, ses réflexions soulèvent d'autres considérations, tout aussi importantes, sur l'organisation de l'enseignement dans l'institution, sur la tâche d'enseignement, sur la définition qu'en donnent les conventions collectives et sur les autres tâches de formation qui sont moins reconnues et valorisées. Elles sont soulignées au passage, mais non discutées.

21

Le premier chapitre du présent ouvrage traite de la coordination des enseignements en tant que solution aux difficultés soulevées par la multiplication des groupes-cours portant un même code. On y aborde, entre autres, les avantages, les inconvénients, les conditions d'efficacité et les préalables pour la mise en place d'une telle stratégie éducative.

Le second chapitre s'applique à cerner les divers aspects liés à l'enseignement à des grands groupes, telles les raisons qui le motivent, les avantages et les inconvénients de cette pratique, ainsi que les conditions d'efficacité qui en favorisent la réussite.

Chaque chapitre relate des expériences vécues à l'UQAM et ailleurs et fait mention d'aspects technologiques qui peuvent intervenir en tant que mémoire collective, qu'aide à la tâche et que soutien pédagogique dans l'enseignement aux grands groupes et la coordination des enseignements.

Le lecteur retrouvera également, à la fin de chaque chapitre, un résumé énumérant les principaux éléments des sujets traités et une liste aide-mémoire qui rappelle les étapes de la planification nécessaires à la mise en place harmonieuse de chacune de ces structures.

CHAPITRE 1

LA COORDINATION DES ENSEIGNEMENTS

La répétition des enseignements, et partant, la multiplication des groupes pour un même cours — souvent assumé par plusieurs enseignants — est un phénomène courant dans les universités de grande taille.

Lorsque plusieurs groupes-cours d'un même sigle sont à l'horaire, et ce, peu importe la taille du groupe, les objectifs de qualité requièrent une coordination des enseignements afin que les étudiants puissent recevoir les enseignements les plus semblables possible. C'est une question d'équité envers ces derniers, qui doivent tous satisfaire aux exigences d'un même programme ou d'une corporation professionnelle donnée.

La coordination des enseignements n'est pas chose nouvelle. Actuellement, les rencontres de coordination constituent une pratique habituelle pour bon nombre d'enseignants. Bien que, dans la majorité des cas, ces rencontres demeurent informelles, elles constituent le principal lieu des activités de coordination et de consultation des enseignants, que ce soit sur la matière enseignée, les méthodes pédagogiques ou l'évaluation.

Sans doute faut-il rappeler que la coordination des enseignements se conçoit de plusieurs façons et qu'elle dépend de l'histoire et de la culture propres à chaque département ou module. Tout comme c'est le cas pour l'enseignement à des grands groupes, elle doit être soigneusement planifiée en concertation avec les personnes impliquées.

La coordination des enseignements, réalisée dans le cadre de l'enseignement aux grands groupes ou de l'enseignement aux groupes multiples, représente un outil fort précieux pour assurer une qualité de formation, puisqu'elle vise à uniformiser les objectifs d'apprentissage des divers groupes. Dans tous les cas, il s'agit de rehausser et d'uniformiser la qualité des enseignements pour l'ensemble des étudiants concernés.

DÉFINITION

En ce qui concerne la coordination des enseignements, une des rares références nous vient de Knapper (1987). Toutefois, il importe de spécifier que c'est dans le cadre de l'enseignement à des grands groupes que cet auteur situe la coordination des enseignements. Il recommande à cet égard le recours à des coordonnateurs afin d'assurer l'organisation de l'enseignement aux grands groupes. Il propose la coordination en une série d'étapes en se référant à l'approche systématique de la conception d'un cours: entre autres, l'analyse des besoins et des objectifs, la sélection des stratégies d'apprentissage et les modalités d'évaluation.

Cette référence mise à part, les écrits ne font pas mention de la coordination des enseignements. C'est plutôt la notion de *team teaching* qu'on y retrouve. Cet enseignement en équipe va de la simple collaboration entre deux enseignants, qui planifient et partagent un même cours, à une structure plus complexe incluant plusieurs enseignants impliqués dans un processus de formation.

Hanslovsky, Moyer et Wagner (1969) définissent l'enseignement en équipe comme une méthode où un groupe de deux enseignants ou plus coopèrent à l'enseignement d'un même groupe d'élèves. De façon implicite, la coopération suppose le partage d'un même plan et des mêmes objectifs pédagogiques ainsi que la mise en commun des connaissances et des compétences des enseignants impliqués.

Chamberlin (1969) présente le *team teaching* comme un mode d'organisation qui tient compte des enseignants, des étudiants, de l'espace et du curriculum. Ce mode d'organisation est sous la responsabilité d'enseignants qui, en tant que groupe, planifient, enseignent et évaluent un ou des cours donnés à tous les étudiants qui y sont inscrits, l'objectif premier étant d'améliorer la qualité de l'enseignement.

Pour leur part, Close, Allan Rudd et Plimmer (1974) sont d'avis qu'il est difficile de définir le *team teaching* de façon précise, compte tenu des nombreuses formes qu'il peut prendre. Essentiellement, disent ces auteurs, ce type d'enseignement se produit lorsque deux enseignants ou plus travaillent ensemble et partagent la responsabilité d'un enseignement à un même groupe d'élèves, à l'intérieur de tâches variées, à différents groupes-cours et dans divers lieux physiques.

Dans le cas qui nous occupe, l'expression «coordination des enseignements» constitue un mode particulier de *team teaching* dans lequel tous les étudiants d'un même cours, peu importe le nombre de groupes, reçoivent les enseignements les plus semblables possible, tant sur le plan des objectifs et des contenus que sur celui des modalités d'évaluation. Cette stratégie d'enseignement, pour chacun des cours, repose entre les mains d'un responsable désigné comme coordonnateur.

Nous entendons précisément par «coordination des enseignements» une forme plus ou moins élaborée de conception et de planification communes ainsi qu'une réalisation concertée des enseignements pour tous les groupes d'un même cours (coordination horizontale) ou d'une séquence de cours (coordination verticale). Bien que nous reconnaissions la nécessité de la coordination verticale dans les universités, dans le présent ouvrage, nous ne retiendrons que les aspects touchant à la coordination horizontale.

La coordination des enseignements peut aussi fournir aux enseignants l'occasion d'échanger sur divers aspects d'un cours, que ce soit sur le plan des objectifs d'apprentissage, de la pédagogie à adopter, des contenus académiques ou de l'évaluation, et de créer ainsi des habitudes de réflexion et de ressourcement pédagogiques en milieu universitaire.

AVANTAGES

La coordination des enseignements offre de nombreux avantages tant pour les étudiants que pour les enseignants. Parmi ces avantages, notons:

- une meilleure uniformité, pour un même cours, du contenu, des objectifs pédagogiques, du déroulement, des outils pédagogiques, ainsi que des modalités d'évaluation;
- une meilleure qualité d'enseignement grâce à l'articulation et à l'harmonisation des contenus entre les cours;

- une clarification et une meilleure compréhension des objectifs d'apprentissage grâce aux échanges entre enseignants;
- l'assurance d'une formation plus adéquate pour les étudiants par rapport aux objectifs du programme;
- la mise en commun et une utilisation plus appropriée des meilleures ressources (matériel, moyens, modalités) pédagogiques;
- la misc en commun, pour les enseignants, des idées, des connaissances, des expertises, des expériences et des ressources;
- l'occasion, pour les enseignants, de vivre des expériences positives de coopération, de collaboration, de communication ainsi que de briser leur isolement;
- la mise en place d'une démarche pédagogique diversifiée, plus riche et plus personnalisée;
- la diminution du «magasinage» des étudiants et, en conséquence, unc réduction des modifications des choix de cours;
- la diminution possible du taux d'abandon chez les étudiants en raison d'une meilleure prise en charge des conditions générales de l'enseignement du cours.

Comme nous lc verrons, certaines expériences de coordination vécues à l'UQAM et à l'École polytechnique témoignent de sa faisabilité, en illustrent les modalités et font état des avantages de cette pratique.

Pour les étudiants, cette pratique offre une meilleure garantie de structuration des enseignements, de richesse

et d'adéquation des contenus, de pertinence des stratégies et instruments pédagogiques ainsi que d'équité.

Pour les enseignants, les avantages tiennent au fait
qu'une partie du travail de préparation du cours est déjà
disponible comme résultat du travail collectif accumulé.
Le matériel pédagogique fourni allège d'autant la préparation, permettant ainsi à l'enseignant de se concentrer sur d'autres aspects de son enseignement. Il peut,
de plus, compter sur le soutien et l'aide de l'équipe.

Finalement, si l'on se réfère à notre enquête menée
à l'UQAM (UQAM-BCP Jr, 1991), on constate que, bien
que la coordination des enseignements implique beaucoup de travail, les résultats sont appréciés. Ils le sont
des étudiants qui se sentent encadrés et le disent. Les
chargés de cours se sentent soutenus et font aussi savoir leur satisfaction. Les professeurs, dont certains
manifestaient de la réticence face à une structure rigide,
s'entendent pour dire que les avantages pédagogiques
et organisationnels contrebalancent nettement les inconvénients.

INCONVÉNIENTS

La coordination des enseignements, si souhaitable soit-
elle, peut présenter certains inconvénients, voire certains
désavantages, qui touchent à la fois les enseignants, les
enseignements et le coordonnateur.

Une des principales difficultés est, sans contredit,
d'obtenir l'assentiment des enseignants concernés. Pour
certains, accepter une coordination des enseignements,
c'est un peu renoncer à son individualité, à sa liberté.
Dans certains cas, cela peut même être une entrave à

l'innovation ou à l'expression de qualités pédagogiques personnelles. Chacun a son style d'enseignement, et il n'apparaît pas toujours facile d'atteindre un consensus sur les divers éléments exigés pour assurer le maximum d'uniformité là où elle est jugée nécessaire pour chacun des groupes-cours. La coordination des enseignements peut devenir pratiquement irréalisable si les enseignants ne visent pas l'atteinte des mêmes objectifs.

Lorsque la coordination des enseignements se limite à l'uniformisation du plan de cours, le coordonnateur peut n'avoir aucun moyen de la vérifier ni d'assurer sa réalisation. En effet, malgré le consensus qui a pu être obtenu sur l'adoption d'un plan de cours commun (ayant, par exemple, les mêmes objectifs et outils pédagogiques, le même contenu et les mêmes modalités d'évaluation), chaque enseignant demeure le maître incontesté face à son groupe-cours, du début à la fin de la session. Dans le système actuel, il n'existe aucun moyen formel qui permet de vérifier que le consensus obtenu sur la planification du cours est bien respecté dans les salles de cours.

Lorsque la coordination des enseignements va plus loin et comprend une concertation dans l'établissement et la définition des modalités d'évaluation commune des apprentissages (et même, dans certains cas, de correction commune), cette pratique peut présenter certains problèmes tant sur le plan de l'acceptation des modalités que sur le plan de leur application. Les enseignants n'acceptent pas tous d'emblée, par exemple, la tenue d'un examen commun qui entraîne des exigences comme la préparation de l'examen (choix des questions et du contenu), la détermination d'une même date, le choix de locaux adéquats, l'occurrence de certains coûts afférents, la détermination des méthodes, moyens et critères d'évaluation, les difficultés liées à la surveillance.

Les moyens nécessaires à la mise en œuvre de la coordination des enseignements ne sont pas toujours présents. Il est possible d'identifier certaines lacunes sur le plan, notamment, du rôle et des pouvoirs du coordonnateur, des délais alloués aux chargés de cours pour s'inscrire correctement dans un tel processus, de la flexibilité des conditions de réalisation et de la disponibilité du soutien requis.

Pour le coordonnateur, la tâche peut être très lourde et peu valorisée. En effet, lors de l'évaluation des professeurs, les critères d'évaluation départementaux ne permettent pas toujours de reconnaître cette tâche au même titre que les autres. Par conséquent, pour que la coordination des enseignements se réalise dans des conditions acceptables, les assemblées départementales devraient établir des critères qui la reconnaissent officiellement comme composante de la tâche d'enseignement.

La participation à une coordination des enseignements, lorsque celle-ci existe, fait partie de la tâche normale d'un enseignant. Elle n'est pas toujours perçue et reconnue comme telle. Il arrive souvent que certains enseignants invoquent le manque de disponibilité en raison, soit des exigences de leur travail extérieur dans le cas des chargés de cours, soit de leurs autres tâches dans le cas des professeurs. Dans le cas des chargés de cours, il peut arriver que la coordination implique une participation particulière (ponctuelle ou récurrente)

La coordination des enseignements

dépassant les exigences normales de leur enseignement. Dans ce cas, il y a lieu d'assurer une reconnaissance en fonction de la tâche exigée.

La collaboration des départements et modules, essentielle à la réussite, ne va pas toujours de soi puisque ce mode d'organisation n'est pas clairement défini. C'est pourquoi les personnes interrogées dans le cadre de notre enquête (UQAM-BCP Jr, 1991) ont souhaité l'élaboration d'une politique de coordination servant de guide à toutes les personnes concernées.

CONDITIONS D'EFFICACITÉ

La coordination des enseignements ne va donc pas de soi. Certaines conditions sont requises pour sa réussite. L'efficacité de cette formule dépend des étudiants, des enseignants, des coordonnateurs, des modules et départements et, bien sûr, de l'organisation liée à ce mode de fonctionnement.

Les étudiants

Il importe que les étudiants se familiarisent avec un tel mode de fonctionnement. Pour ce faire, ils doivent être informés de l'existence d'une telle structure et des objectifs d'équité et donc d'uniformisation qui y sont rattachés.

Bien que les étudiants se trouvent exclus du processus immédiat de mise en œuvre, ils peuvent constituer un appui certain au respect du plan de cours par leur compréhension des objectifs visés par la coordination et par leur implication positive.

Les enseignants

La coordination des enseignements d'un cours nécessite une concertation entre tous les enseignants impliqués, tant sur le plan des objectifs que sur ceux du contenu du cours et des outils pédagogiques et d'évaluation. Dans ses formes les plus développées, la coordination peut supposer l'élaboration d'outils d'évaluation communs et la planification collective de leur mise en œuvre et de leur correction. À cet égard, les enseignants doivent, au départ, accepter la mise en commun des idées et des solutions, et respecter les décisions prises par le groupe.

Les enseignants forment une équipe. Chacun a sa personnalité et son style d'enseignement, ce qui ne nuit en rien à l'efficacité du travail d'équipe. Bien au contraire, les différences de chacun constituent un apport important, une richesse pour l'équipe. En réalité, ce qui motive chaque membre est l'atteinte d'objectifs communs sur le plan professionnel et la volonté d'offrir une meilleure qualité d'enseignement. Pour ce faire, chacun doit être prêt à y consacrer du temps et à s'appliquer à résoudre les différents problèmes de façon créative.

L'enseignant qui s'engage dans une expérience de ce genre montre sa volonté non seulement de participer à un tel processus, mais surtout de prendre les moyens de le mettre en œuvre et de le respecter dans les faits. Ce qui implique de développer des attitudes propres au travail en groupe: être attentif aux opinions d'autrui, exprimer les siennes, se rallier aux décisions du groupe, faire preuve de souplesse, etc.

Des critères reconnaissant le travail requis pour la coordination des enseignements doivent être adoptés par les départements. Il est aussi nécessaire que ceux-ci apportent un soutien actif à la réalisation de la coordination. De même une attribution plus rapide des charges de cours est souhaitable.

Les coordonnateurs

Idéalement, le coordonnateur présente un profil particulier. Entre autres, il est reconnu par ses pairs et fait preuve de leadership pour créer et maintenir un climat constructif d'échanges pédagogiques entre les enseignants. Il accepte la tâche de coordination sur une base volontaire. À l'intérieur de cette tâche, il demeure disponible, en tant que personne-ressource, tant pour les enseignants que pour les étudiants.

Le plus souvent le coordonnateur est un professeur. Il est ainsi plus facile pour lui d'être informé de toutes les activités départementales et d'être disponible pour des activités de coordination. Préférablement, il est spécialiste de la matière concernée et a déjà donné le cours, ce qui lui permet de résoudre plus facilement les difficultés. Une certaine continuité et permanence dans la fonction de coordonnateur est hautement souhaitable.

Les modules et les départements

Il importe que le coordonnateur ne soit pas surchargé de tâches qui, bien que nécessaires à la coordination, ne lui reviennent pas dans les faits. Par exemple, la convocation des enseignants aux rencontres, la correspondance et les diverses tâches de secrétariat, essentielles au bon déroulement, demandent beaucoup de temps. Donc, les modules et les départements ont un rôle important à jouer, en ce sens qu'ils doivent accorder un soutien concret au coordonnateur pour la logistique des activités de coordination.

L'organisation

La coordination des enseignements requiert une organisation adéquate à plusieurs niveaux. Afin d'assurer le maximum d'efficacité, il est préférable d'adopter un modèle coopératif. Ce modèle permet une plus grande flexibilité que le modèle pyramidal ou hiérarchique puisqu'il nécessite la participation de tous les membres de l'équipe au processus et à la prise de décision. Même dans un tel modèle, le coordonnateur assume le leadership. Il est appuyé par l'équipe d'enseignants et, s'il y a lieu, par des consultants pédagogiques. Les méthodes participatives demeurent prédominantes, et l'effet d'entraînement est le principal élément moteur de la coordination des enseignements.

Sur le plan pédagogique, les décisions relatives au contenu, aux objectifs, à la documentation pertinente et à l'évaluation se prennent à l'unanimité, si possible, ou, à défaut, à la majorité.

LE RÔLE DU COORDONNATEUR

Le rôle du coordonnateur se joue à plusieurs niveaux et est étroitement lié aux conditions d'efficacité de la coordination des enseignements.

Le coordonnateur porte la responsabilité de l'objectif premier de cette démarche qui est d'assurer à tous les étudiants une même qualité d'enseignement et de formation. À cet égard, son rôle est celui d'un leader.

Il est responsable de la planification, de l'organisation et de l'animation des réunions indispensables à l'uniformisation et à la cohérence dans les enseignements d'un même cours. À cet effet, il convoque les enseignants à des rencontres individuelles ou de groupe. Il encadre de façon spécifique les nouveaux enseignants, fait le suivi par écrit des directives résultant des décisions prises lors des réunions et s'assure du respect du plan de cours.

Le défi de la coordination des enseignements doit être de mettre à profit (dans la production d'un plan de cours cadre, par exemple) l'individualité des enseignants, tout en assurant aux étudiants un enseignement équivalent et de même qualité. À cet égard, le coordonnateur s'applique à proposer et encourager l'innovation.

Sur le plan pédagogique, le coordonnateur, après consultation des membres de l'équipe, voit à la mise en œuvre des actions suivantes:

- la clarification collective des objectifs d'apprentissage pour ce qui est du contenu et du niveau taxinomique;
- l'élaboration de stratégies pédagogiques, c'est-à-dire le choix, pour chaque objectif ou groupe d'objectifs, d'une méthode d'enseignement et d'une forme d'évaluation;
- le partage des ressources et des responsabilités en ce qui concerne la préparation du matériel didactique, de l'évaluation et des enseignements.

Afin d'apporter un soutien aux enseignants, le coordonnateur peut produire des documents pédagogiques ou de référence, qu'ils soient de son cru ou le fruit des échanges entre les enseignants. Les méthodes et outils d'enseignement et d'évaluation peuvent, selon les situations, s'insérer dans une banque de données ou constituer des moyens disponibles pour tous.

Le coordonnateur peut également prendre en charge la rédaction du matériel pédagogique comme le plan de cours, le ou les recueils de textes et, s'il y a lieu, les examens communs, ou s'assurer de sa production et de sa gestion.

Le coordonnateur assure le lien entre les responsables de programme, les départements et les enseignants. Il informe ces responsables des décisions prises concernant le cours, transmet les besoins des enseignants nécessaires à l'efficacité des enseignements, est impliqué dans le suivi de l'évaluation des enseignements et constitue, au besoin, des équipes *ad hoc* pour réaliser certaines tâches exigées par la coordination des enseignements.

Le coordonnateur doit, en plus des aspects de concertation des enseignements et de logistique, se préoccuper de constituer la «mémoire collective» du groupe (c.-à-d. le cumul et la codification graduels des principaux éléments reliés au cours – objectifs de formation, contenus, stratégies pédagogiques, instruments d'évaluation validés et accessibles, documentation, outils et matériel disponibles, etc.). La constitution et l'amélioration de cette mémoire collective doit faire l'objet d'une préoccupation, d'une planification et d'une mise à jour constantes.

Le temps que le coordonnateur consacre à ses fonctions peut varier selon le cours, le nombre de groupes-cours et le nombre d'enseignants impliqués et peut, dans certains cas, justifier un réaménagement équitable des tâches à l'intérieur des cours concernés.

QUELQUES EXPÉRIENCES VÉCUES
Résultats de l'enquête menée à l'UQAM

À l'UQAM, presque tous les cours de base sont répétés en plus ou moins grand nombre. La situation varie beaucoup d'un département et d'une famille à l'autre: certains cours sont coordonnés sous une forme ou sous une autre, d'autres pas. Quelques expériences de coordination des enseignements se vivent de façon informelle.

Notre enquête a laissé voir qu'il existait trois formes de réalisations dans le développement d'une coordination des enseignements.

La première forme consiste à utiliser un même plan de cours, une bibliographie commune et à organiser des rencontres informelles de coordination. La deuxième forme, plus élaborée et moins fréquente, intègre une coordination des modalités d'évaluation. La troisième forme, plus élaborée encore, comprend des échanges structurés, des examens et un barème d'évaluation communs. Cette dernière forme est nettement plus rare.

Dans bien des cas, on note une concertation ou des échanges entre les enseignants, sans pour autant qu'il y ait présence d'un coordonnateur. Ces échanges sont des initiatives personnelles d'enseignants et se font sur divers aspects de leurs cours.

L'enquête montre aussi que les enseignants sont favorables aux échanges sur le contenu académique et sur la pédagogie de leurs cours. Ils acceptent également l'utilisation d'un plan de cours commun et d'une bibliographie commune. Toutefois, ils privilégient moins l'utilisation d'un barème d'évaluation et d'un examen communs. À cet égard, il y a lieu, disent-ils, de clarifier les objectifs d'une telle démarche et d'en saisir tant la nécessité que les modalités d'application.

Un cours en droit des affaires destiné à des non-juristes: une expérience aux Sciences juridiques à l'UQAM

En 1987, le Département des sciences juridiques de l'UQAM a procédé à l'évaluation d'un de ses cours de droit[1] en vue de rehausser la qualité de son enseignement. Pour ce faire, le Département a embauché une personne à titre de responsable de la coordination du cours. Son premier mandat a été, grâce à l'obtention d'une subvention du Fonds de développement pédagogique, de confier à des experts pédagogiques la tâche de formuler des recommandations en vue d'améliorer le cours à partir des données statistiques et des problèmes identifiés. C'est d'ailleurs la parution de ce rapport qui est à l'origine du présent ouvrage.

Au moment de son évaluation par les experts, en 1987-1988, le cours en droit des affaires attire une clientèle nombreuse d'étudiants en gestion, qui peut varier de 700 à plus de 800 étudiants par session. Ces étudiants sont répartis en plusieurs groupes de taille variable (entre 60 et 90 étudiants). Le cours est donné par

---

1   Le cours qui a fait l'objet de cette expérience particulière s'intitule *Introduction au droit des affaires* (JUR-1031). Michelle Thériault est la personne qui agissait à titre de responsable de la coordination de ce cours.

des professeurs et, en majorité, par des chargés de cours.
D'un groupe-cours à l'autre, l'enseignement et l'évaluation des apprentissages sont très variables puisqu'ils
relèvent presque entièrement des décisions individuelles de chaque enseignant.

Les principaux problèmes liés à l'enseignement de
ce cours se résument comme suit:

- l'absence d'homogénéité des enseignements (objectifs du cours, degré de difficulté, évaluation
  et livres de base variables);
- l'inadéquation de la documentation pédagogique
  de base;
- le manque de motivation et d'intérêt des étudiants, ce cours de droit étant donné à des
  non-juristes, en dehors de leur champ de spécialisation;
- l'hétérogénéité de la clientèle étudiante: certains
  étudiants ont suivi un ou plusieurs cours de droit,
  d'autres pas; les étudiants appartiennent souvent
  à des programmes différents, et les cours regrou-
  pent des étudiants d'expérience et d'âge différents;
- l'utilisation presque exclusive de l'exposé magistral comme méthode d'enseignement.

Deux questions ont été soumises aux experts pédagogiques:

- Comment peut-on améliorer l'enseignement et la
  pédagogie de ce cours en conservant la taille des
  groupes-cours de 50 à 90 étudiants?
- Est-ce qu'il serait préférable d'augmenter la taille
  des groupes, par exemple de 120 à 200 étudiants,
  dans le cadre de ce cours? Si oui, suivant quel
  type de pédagogie?

Selon les experts, pour améliorer la qualité de l'enseignement et faire de ce cours un cours idéal, des actions devaient être entreprises dans les plus brefs délais de manière à impliquer tous les intervenants et à les sensibiliser aux problèmes. Pour aller au plus pressé, sans trop de bouleversements ni trop de frais, il fallait mettre l'accent sur la concertation et l'échange entre les enseignants sur l'uniformisation du plan de cours, des outils pédagogiques (manuel de base unique, mêmes références, même guide de l'étudiant) et des outils d'évaluation. Ils ont ajouté que, dans l'immédiat, l'enseignement à des plus grands groupes n'était pas la solution appropriée, sans pourtant s'étendre davantage sur le sujet.

À l'heure actuelle, à la lumière des recommandations faites, la situation s'est quelque peu améliorée. Un plan de cours commun avec un calendrier, inspiré du prototype de plan de cours proposé par le Décanat des études de premier cycle, est utilisé par tous les enseignants et distribué à tous les étudiants du cours. Ce document a été standardisé par l'addition d'une page couverture sur laquelle on a laissé vierges les espaces servant à inscrire les informations propres à chaque cours (nom de l'enseignant, numéro de téléphone, disponibilité, local, etc.). Un ouvrage de référence et un recueil de textes constituent les outils pédagogiques obligatoires du cours.

À chaque début de session, le coordonnateur est responsable de la mise à jour, de la polycopie et de la distribution du plan de cours commun et du recueil de textes, de la commande d'ouvrages nécessaires et de la tenue de rencontres avec l'agente d'administration du département. Quant aux outils d'évaluation, leurs forme et pondération (un travail individuel (30 %), un travail en équipe (40 %) et un examen final (40 %) sont les mêmes pour tous sans pourtant être communs. Même l'exposé informel (exposé magistral avec discussion en classe avec les étudiants au moyen d'exercices, de cas pratiques, de questions, etc.) représente la méthode d'enseignement privilégiée par tous les enseignants.

Enfin, pour assurer l'enseignement d'un même contenu du cours, un certain nombre de cas pratiques, choisis dans le volume de base obligatoire correspondant à la matière vue en classe, constituent un minimum et sont corrigés et discutés en classe par tous les enseignants.

Voici des exemples de divers moyens qui ont été pris pour en arriver à cette uniformisation plus globale de l'enseignement du cours:

- l'implantation partielle des recommandations des experts pédagogiques à compter de la session d'automne 1988, à l'occasion d'un «vin et fromage» regroupant le coordonnateur, tous les enseignants du cours et les experts pédagogiques signataires du rapport, à titre de conférenciers-invités; cette rencontre avait pour but d'impliquer activement les enseignants et d'en arriver à une entente sur la structure et l'enseignement du cours;

- l'organisation de rencontres informelles (individuelles ou en groupe) avec les enseignants, tenues à différents moments, dans le but d'échanger sur l'enseignement du cours et la pédagogie;

- l'envoi aux enseignants de questionnaires pour connaître leurs suggestions quant à l'amélioration du cours;

- la mise sur pied aux sessions d'hiver 1988 et d'hiver 1989, d'un sous-groupe de travail «pilote» rassemblant le coordonnateur et des chargés de cours et ayant pour but d'utiliser les mêmes outils d'évaluation (travaux et examens «communs»);
- la préparation d'un tableau récapitulatif des résultats de l'évaluation des enseignements du cours; ce tableau ainsi qu'une copie du questionnaire d'évaluation ont été distribués à tous les enseignants concernés pour les sensibiliser aux améliorations à apporter et leur donner une rétroaction quant à l'évaluation des enseignants;
- l'organisation de rencontres avec un pédagogue dans le but d'améliorer la formulation des objectifs pédagogiques spécifiques et généraux du cours;
- la participation du coordonnateur au conseil de module du Baccalauréat en administration et l'envoi de documents aux responsables des programmes, afin d'établir des contacts, de favoriser les échanges et de les tenir informés du dossier de coordination;
- Depuis septembre 1990, la participation du coordonnateur à titre de membre de l'équipe pédagogique, au Programme expérimental parallèle du Baccalauréat en administration (PROJET 90); grâce à une coordination verticale de l'enseignement, cette participation a permis de vérifier de nouvelles idées et de les soumettre ensuite aux enseignants du cours.

Même si le travail accompli depuis 1987 et l'implantation progressive des recommandations des pédagogues ont permis d'arriver à une uniformisation plus globale du cours et, par la même occasion, d'améliorer la qualité de son enseignement, d'autres étapes importantes restent à franchir.

Pour les prochaines années universitaires, l'équipe d'enseignants a déjà ébauché un projet qui permettra une meilleure intégration des chargés de cours dans la coordination du cours. De plus, une équipe de quatre professeurs du Département des sciences juridiques se propose de rédiger le manuel du cours, qui devrait mieux répondre aux besoins liés à son enseignement, la documentation pédagogique actuelle étant, à cet égard, plutôt inadéquate.

Enfin, la prochaine étape devrait consister à se servir du présent ouvrage pour amorcer une discussion de fond avec toutes les personnes concernées quant à la véritable structure sur laquelle le cours en droit des affaires devra reposer à long terme: s'agira-t-il, par exemple, de pousser la coordination jusqu'à l'implantation d'un examen commun, d'introduire l'enseignement à des grands groupes, ou à la fois, une forme de coordination des enseignements et un enseignement à des grands groupes?

Les mathématiques à l'École polytechnique: une autre expérience

Afin de bien comprendre et cerner les avantages de la coordination des enseignements, il apparaît intéressant de se référer ici à une expérience vécue à l'École polytechnique, affiliée à l'Université de Montréal (Vanderstraeten, Burney-Vincent, 1991)[2].

Chaque année, environ mille nouveaux étudiants doivent s'inscrire aux mêmes cours de mathématiques, cours dans lesquels ils doivent être soumis à une même évaluation. Les étudiants sont répartis dans divers groupes d'environ 60. Les cours sont donnés par des professeurs et, en majorité, par des chargés de cours. La coordination des groupes-cours est essentielle puisqu'elle permet:

- d'assurer que la même matière a été dispensée dans tous les groupes-cours;
- d'encadrer les chargés de cours dans leur démarche pédagogique;
- d'encadrer les étudiants qui doivent s'adapter au système universitaire.

Compte tenu du fait que la sélection des étudiants dans une spécialité se réalise, entre autres, à partir des résultats obtenus dans ces cours, l'évaluation uniforme se révèle fort importante dans la mesure de l'atteinte des objectifs pédagogiques.

La réalisation de la coordination implique une démarche particulière qui inclut:

- la définition des objectifs pédagogiques et de l'ordre des apprentissages en tenant compte des acquis;
- l'élaboration du détail des contenus en tenant compte des objectifs du programme;
- la préparation du matériel pédagogique sous forme d'un «cahier des charges».

---

2   Nous remercions les auteurs de nous avoir autorisés à reproduire leur texte.

Le «cahier des charges» comprend «l'heure par heure» de l'enseignant (thème et sous-thèmes traités et directives concernant les notations, les consignes à donner aux étudiants, les notions indispensables ou facultatives), les séances de travaux dirigés du démonstrateur (thème et sous-thèmes, heures de cours préalables, guides, directives et solutionnaires), le plan de cours détaillé, le tout complété par des directives, des notes complémentaires, des solutionnaires, des transparents, des vidéocassettes.

Afin d'assurer un bon déroulement et l'atteinte des objectifs visés, une structure bien précise a été mise en place.

Ainsi, le coordonnateur devra:

Quatre mois avant le début d'un cours:

- s'assurer que les horaires des groupes concordent avec la disponibilité des enseignants;
- fixer les dates des examens en veillant à ce que celles-ci permettent un contrôle adéquat de la matière;
- former les groupes de façon à minimiser les problèmes d'hétérogénéité des étudiants;
- choisir les moniteurs pour les ateliers;
- vérifier que tout le matériel pédagogique soit disponible en nombre et au moment voulu.

Un mois avant le début du cours:

- fixer les rencontres avec les enseignants et les démonstrateurs;
- organiser, avec le Service pédagogique, des ateliers de formation pour les auxiliaires d'enseignement;

- assurer une bonne synchronisation entre séances de travaux dirigés et heures de cours.

Une semaine avant le début du cours:

- rencontrer les personnes impliquées: professeurs, démonstrateurs et moniteurs;
- régler les conflits d'horaire surgissant à la dernière minute.

Pendant la session:

- garder un contact continu avec les membres de l'équipe, soit par réunion, soit par rencontres individuelles;
- vérifier à faire remplacer de façon adéquate un membre de l'équipe absent;
- organiser la surveillance des examens;
- veiller à la confection des examens par consensus, en conformité avec les objectifs pédagogiques;
- gérer les corrections: établir un barème, répartir la correction entre les enseignants, s'assurer de l'uniformité dans l'application du barème et mesurer ce que serait la réussite de l'examen compte tenu des objectifs pédagogiques (évaluation critériée).

Après la session:

- tenir une réunion bilan afin d'évaluer le fonctionnement et apporter des améliorations s'il y a lieu.

Cette expérience vécue implique cependant plusieurs ajustements. Le processus mis en place s'étend sur une période de quatre mois (l'équivalent d'une session) précédant le début d'un cours. Ce qui signifie, entre autres, l'attribution des cours une session à l'avance, la collaboration et le soutien des services impliqués dans la production du matériel pédagogique, dans l'attribution des locaux, etc.

CONCLUSION

Il va sans dire que la pratique de la coordination des enseignements peut être très différente d'un département à l'autre tant sur le plan de la forme que de l'ampleur. Elle se conçoit de plusieurs façons et dépend de l'histoire et de la culture propres à chaque département. Il importe de respecter ces particularités. Toutefois, la mise en place de la coordination des enseignements nécessite la définition de certaines balises qui assurent sa réussite.

Les outils les plus précieux demeurent les échanges sur le contenu académique et sur la pédagogie. De même, l'utilisation d'un même plan de cours, d'une bibliographie commune, de critères communs d'évaluation et d'un barème de correction similaire représentent des éléments essentiels pour la coordination des enseignements.

L'espace de réflexion servant à échanger sur tous les aspects du cours sert de lieu de ressourcement pédagogique. Les rencontres de coordination permettent de raffiner, pour les enseignants, la compréhension des objectifs d'apprentissage des cours répétés, ce qui a pour avantage d'éviter toute ambiguïté dans l'interprétation du descripteur de cours. Ce même espace de réflexion permet aussi de préciser et de clarifier le contenu du cours et d'élaborer les stratégies pertinentes d'enseignement.

Rappelons, enfin, que certaines conditions préalables favorisent la coordination des enseignements, par exemple:

- la reconnaissance du travail de coordination dans l'évaluation de l'enseignant;
- la promotion, auprès de tous les enseignants, de l'intérêt de la coordination des enseignements;
- un espace de réflexion et d'échanges pédagogiques;
- l'attribution des cours dans des délais adéquats selon des modalités qui permettent la formation d'équipes de travail;
- la planification de rencontres de tous les enseignants donnant un même cours ou une même séquence de cours;
- la collaboration du directeur de département, du personnel du secrétariat et de l'assemblée départementale;
- l'officialisation, par voie d'une décision formelle à l'assemblée départementale, de la nécessité et du rôle de la coordination des enseignements ainsi que de la forme et de l'ampleur qu'elle prendra.

La coordination vise l'homogénéité des enseignements et favorise, par le fait même, l'harmonisation des connaissances. Dans cette perspective, la formation des étudiants ne peut qu'être de meilleure qualité.

Il est bien entendu que l'application d'une telle structure se fait par étapes et que des délais raisonnables de mise en œuvre doivent être prévus.

RÉSUMÉ
COORDINATION DES ENSEIGNEMENTS

Avantages:
- uniformisation du contenu et des objectifs
- articulation et harmonisation des connaissances
- assurance d'une même formation
- gestion plus adéquate des ressources
- soutien mutuel des enseignants
- coopération, collaboration, communication entre enseignants
- espace de réflexion

Inconvénients:
- difficulté d'obtenir l'assentiment de tous les enseignants
- absence de moyens pour vérifier que le consensus obtenu sur la planification du cours (dont le respect du plan de cours) est bien effectif dans les salles de cours
- difficulté d'obtenir un consensus pour l'établissement des modalités d'évaluation commune des apprentissages et de la correction commune, s'il y a lieu
- absence de critères de reconnaissance des tâches liées à la coordination
- lourdeur du travail en équipe

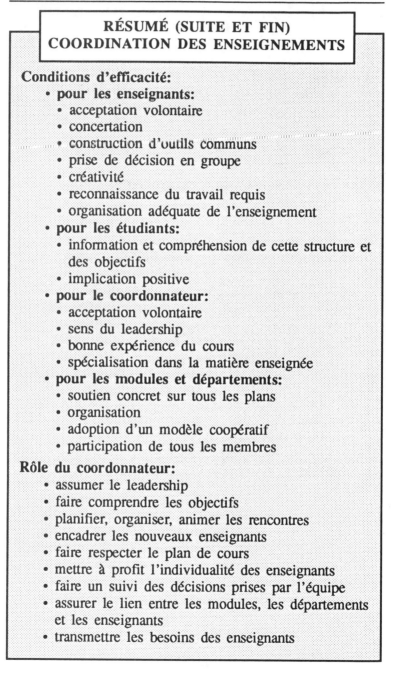

RÉSUMÉ (SUITE ET FIN)
COORDINATION DES ENSEIGNEMENTS

Conditions d'efficacité:
- **pour les enseignants:**
  - acceptation volontaire
  - concertation
  - construction d'outils communs
  - prise de décision en groupe
  - créativité
  - reconnaissance du travail requis
  - organisation adéquate de l'enseignement
- **pour les étudiants:**
  - information et compréhension de cette structure et des objectifs
  - implication positive
- **pour le coordonnateur:**
  - acceptation volontaire
  - sens du leadership
  - bonne expérience du cours
  - spécialisation dans la matière enseignée
- **pour les modules et départements:**
  - soutien concret sur tous les plans
  - organisation
  - adoption d'un modèle coopératif
  - participation de tous les membres

Rôle du coordonnateur:
- assumer le leadership
- faire comprendre les objectifs
- planifier, organiser, animer les rencontres
- encadrer les nouveaux enseignants
- faire respecter le plan de cours
- mettre à profit l'individualité des enseignants
- faire un suivi des décisions prises par l'équipe
- assurer le lien entre les modules, les départements et les enseignants
- transmettre les besoins des enseignants

ÉTAPES DE LA PLANIFICATION
LISTE AIDE-MÉMOIRE

PLANIFICATION À LONG TERME
(douze à six mois)

- Décider au moins douze mois à l'avance de la coordination des enseignements d'un cours ou d'un groupe de cours à l'assemblée départementale avec le concours des responsables des programmes
- Choisir et nommer un responsable pour agir à titre de coordonnateur
- Identifier et faire reconnaître formellement le rôle, les tâches et les fonctions du coordonnateur
- Établir l'étendue de la coordination à réaliser (documentation de base commune, rencontres de coordination, examens communs, etc.)
- Prévoir les ressources nécessaires (production des documents pédagogiques, secrétariat et autres)
- Prévoir les besoins en auxiliaires d'enseignement et leur mode d'affectation
- Prévoir les besoins en formation, s'il y a lieu, des auxiliaires d'enseignement
- Apporter les précisions et informations nécessaires lors même de la commande de cours
- Procéder, au moins trois mois à l'avance, à l'affectation définitive des tâches du coordonnateur et à la détermination des groupes-cours visés par cette coordination

---

**ÉTAPES DE LA PLANIFICATION
LISTE AIDE-MÉMOIRE (SUITE)**

PLANIFICATION À MOYEN TERME
(six à trois mois)

- Organiser la rencontre de coordination de début de session regroupant l'ensemble des enseignants concernés
  - Faire le travail préalable:
    - Mettre à jour les outils pédagogiques communs (plan de cours, recueils de textes)
    - Faire l'étude de l'ensemble de la documentation de base pertinente afin de recommander celle qui répond le mieux aux exigences du cours
    - Préparer l'ordre du jour
    - Convoquer la rencontre
- Tenir et animer la rencontre
  - Présenter les nouveaux membres de l'équipe de coordination
  - Lors de la première rencontre, obtenir le consentement des enseignants et s'entendre de manière définitive sur un ou plusieurs des éléments suivants:
    - la planification des contenus définitifs
    - le plan de cours
    - la documentation pédagogique de base pertinente
    - les modalités d'évaluation (type d'instrument, méthode, moment)
    - les types et modalités d'encadrement des étudiants
- Confirmer par écrit les résultats de la rencontre de coordination et officialiser les modalités de la coordination
- Planifier les activités de concertation entre les enseignants pendant la session
- S'assurer que les locaux sont adéquats et disponibles en fonction des exigences des examens communs, s'il y a lieu

Un mois avant la mise en place
- S'assurer de la disponibilité de la documentation pédagogique nécessaire
- Choisir, former et encadrer les auxiliaires d'enseignement

ÉTAPES DE LA PLANIFICATION
LISTE AIDE-MÉMOIRE (SUITE ET FIN)

PLANIFICATION À COURT TERME

- Identifier les besoins logistiques et voir à ce qu'ils soient comblés, telles:
  - Polycopie de la documentation
  - Aide technique nécessaire (transport du matériel)
  - Ressources humaines nécessaires à la logistique
  - Commande des ouvrages pertinents en nombre suffisant

En cours de session

- Lors du premier cours, informer les étudiants des modalités et des exigences du cours et de la coordination d'une manière précise et claire
- Établir les rencontres de coordination
- Préparer l'ordre du jour de ces rencontres
- Vérifier le respect de la planification pédagogique du cours et faire état des problèmes rencontrés et des réaménagements nécessaires
- Établir un consensus sur les modalités et les instruments d'évaluation
- Gérer la correction des travaux et examens communs, s'il y a lieu, et la remise des notes

À la fin de la session

- Procéder à la gestion de la correction des examens communs, s'il y a lieu
- Procéder à la gestion des demandes de modification de note, s'il y a lieu
- Tenir la réunion bilan et apporter les solutions appropriées
- Proposer et élaborer, s'il y a lieu, des projets de développement pédagogique à plus long terme

53

CHAPITRE 2

L'ENSEIGNEMENT À DES GRANDS GROUPES

L'enseignement à des grands groupes n'est pas nouveau. Sans doute va-t-il de soi dans plusieurs universités qui favorisent ce type d'enseignement compte tenu du grand nombre d'étudiants accueillis. Toutefois, cette réalité est peu présente dans les écrits sur la pédagogie universitaire.

De toute évidence, l'enseignement à un groupe de 60, de 100 ou de 200 étudiants présente un contexte et un environnement différents de ce qu'ils sont avec des petits groupes. Mais peut-on affirmer que la qualité de l'enseignement est tributaire du nombre d'étudiants présents dans un groupe-cours? Peut-on parler de ratio «idéal»?

Parmi les enseignants, nombreux sont ceux qui favorisent un ratio d'une trentaine d'étudiants. Ce ratio permet une relation plus étroite entre enseignant et étudiants et assure un meilleur suivi. Les tenants de cette option perçoivent, à juste titre, qu'un nombre plus élevé d'étudiants rend difficile l'atteinte des objectifs qu'ils se sont fixés.

De notre côté, nous sommes enclins à répondre qu'en l'absence de soutien, de planification, d'organisation et de volonté, cette expérience peut s'avérer un échec. À l'inverse — les expériences vécues le démontrent — lorsque les éléments qui assurent la qualité sont présents, un cours dispensé à un grand groupe peut s'avérer une réussite.

Une étude réalisée par Wulff, Nyquist et Abbot (1987) montre que ce n'est pas nécessairement le nombre d'étudiants dans un cours qui assure sa réussite, mais la qualité de l'enseignement.

Comme nous le verrons, il est possible d'envisager l'enseignement à des grands groupes, en tant que solution au problème d'accroissement des effectifs étudiants et de multiplication des groupes-cours d'un même sigle, dans certains cours où cette forme de pédagogie est adéquate et lorsqu'elle est soigneusement planifiée en concertation avec les personnes impliquées.

DÉFINITION

À partir de quel nombre d'étudiants peut-on parler de grand groupe ou de très grand groupe? Les quelques recherches réalisées à cet égard montrent qu'il n'est pas facile d'établir des normes. Wulff, Nyquist et Abbott (1987) sont d'avis qu'un groupe qui compte entre 75 et 150 étudiants constitue un très grand groupe. Pour leur part, Wilson et Tauxe (1986) établissent à 100 le nombre minimal d'étudiants pour former un «grand groupe», alors que Glass (1982) situe ce nombre autour de 60, et McGee (1980), à plus de 200.

De façon générale, les universités établissent un nombre maximal d'inscriptions dans un groupe-cours. Ce nombre, fixé à partir de considérations académiques, représente une norme visant un contexte de qualité. Selon le type de cours, le nombre maximal d'inscriptions est plus ou moins élevé; par exemple, pour un cours stage ou pour tout autre cours requérant une étroite supervision, le nombre maximal sera moins élevé.

Dans certaines universités québécoises, le nombre d'étudiants dans un groupe-cours peut aller jusqu'à 200 et plus pour un enseignant. La documentation indique que, dans plusieurs universités nord-américaines, ce nombre est encore plus élevé, celui-ci pouvant aller jusqu'à 400 étudiants et plus. À l'UQAM, chaque département se voit tenu de respecter, pour l'ensemble de ses groupes-cours, un nombre moyen d'inscriptions (moyenne cible) qui tient compte de son contexte d'enseignement.

Le choix du nombre d'étudiants présents dans un groupe-cours devrait s'appuyer principalement sur des critères pédagogiques. Afin de ne pas perdre de vue les particularités et contextes différents, le groupe de travail a retenu une mesure souple de ce qu'est un grand groupe, soit le double et plus des effectifs normalement visés par la moyenne cible établie pour un département pour un cours donné.

Par contre, il importe de souligner que chaque unité doit elle-même déterminer quelle proposition lui convient le mieux pour établir la taille d'un grand groupe, en gardant à l'esprit que les paramètres d'un grand groupe ne doivent pas uniquement tenir compte d'une accumulation quantitative d'étudiants, mais aussi de paramètres qualitatifs. Ces paramètres peuvent être reliés à la nature du cours, aux objectifs spécifiques et au niveau de difficulté du cours, au soutien requis pour l'enseignement de ce cours, etc.

Enfin, outre la taille du groupe-cours, certaines autres particularités caractérisent les grands groupes.

Ainsi tous les étudiants sont présents dans le même local aux mêmes heures. Ils reçoivent le même enseignement et sont soumis à la même évaluation des apprentissages. La responsabilité du cours est confiée à un enseignant ou à une équipe d'enseignants (*team teaching*) qui assume le déroulement de toute la démarche pédagogique de ce cours.

Les raisons qui incitent à aménager un cours en grand groupe sont multiples; mentionnons, entre autres:

- la nature du cours (par exemple, cours d'introduction, séminaire d'intégration ou de synthèse);
- l'achalandage de certaines plages horaires des cours lorsqu'une forte clientèle se présente;
- l'accès à une même qualité de la formation, pour un cours obligatoire, par exemple, en regroupant les étudiants dans un seul groupe;
- la réputation d'un enseignant, reconnu dans le milieu pour ses qualités de communicateur exceptionnel, qui attire des foules;
- les invités de prestige, qui acceptent de faire une présentation uniquement s'ils rencontrent un nombre élevé d'étudiants.

AVANTAGES

Sans considérer les intérêts d'ordre pécuniaire que d'aucuns y trouvent, l'enseignement à des grands groupes peut présenter en soi des avantages tant pour les étudiants que pour les enseignants et l'institution.

Pour les étudiants, un premier avantage est celui de pouvoir mieux assurer, dans certains contextes, une uniformisation de l'atteinte des objectifs et de l'évaluation des apprentissages. Ainsi, lorsqu'un cours est offert à plusieurs groupes par différents enseignants, il n'est pas évident que les étudiants reçoivent les mêmes enseignements et réalisent les mêmes apprentissages (Wilson et Tauxe, 1986).

Le fait de constituer un grand groupe peut signifier également qu'un nombre plus grand d'étudiants profitent des enseignements d'un enseignant reconnu pour sa compétence et qui donne un enseignement de haute qualité.

Enfin, ce type d'enseignement oblige à une plus grande prise en charge, par l'étudiant, de son processus d'apprentissage et peut ainsi favoriser le développement d'une plus grande autonomie. Cette capacité de prise en charge est fondamentale et est, sans doute, l'un des acquis les plus importants d'une formation universitaire (Glass, 1982; Gleason, 1986).

Pour les enseignants, l'enseignement à des grands groupes peut représenter un défi fort intéressant. Ce défi implique, entre autres, de développer des habiletés nouvelles de communication, de nouvelles stratégies pédagogiques, de réussir à capter l'attention d'un grand nombre d'étudiants et à les motiver en même temps. Ce type de pédagogie engendre un sentiment de satisfaction sur le plan de la performance et de l'atteinte des objectifs chez un nombre élevé d'étudiants (Wilson et Tauxe, 1986). De plus, l'enseignement à un grand groupe peut, en autorisant une concentration de la tâche d'enseignement, rendre possible une planification plus souple de son temps.

Pour l'université, l'enseignement à des grands groupes ouvre à certains professeurs la possibilité de se consacrer à d'autres activités d'enseignement, de recherche ou de service à la collectivité et permet ainsi une meilleure utilisation des ressources professorales. Il arrive même qu'un enseignement réussi à des grands groupes augmente le prestige de l'université en vertu de l'excellence de la formation qui y est offerte (Wilson et Tauxe, 1986).

INCONVÉNIENTS

L'enseignement à des grands groupes est objet de préoccupations pour ceux et celles qui sont conscients de l'importance d'assurer une qualité de formation qui favorise l'apprentissage (Knapper, 1987). En effet, ce type d'enseignement comporte des limites et des inconvénients qui ne peuvent être ignorés. L'établissement de conditions d'efficacité permettra de trouver des solutions à ces préoccupations et, surtout, de s'assurer que les étudiants ne seront pas pénalisés (McGee, 1980; Pearson, 1986).

Notons, dans un premier temps, que certains objectifs pédagogiques ne se prêtent pas à une telle formule. Il importe donc d'identifier les cours susceptibles d'être offerts à un nombre élevé d'étudiants en tenant compte des objectifs d'apprentissage.

En second lieu, il faut être conscient que tous les enseignants ne sont pas aptes à enseigner à des grands groupes. Cette méthode pédagogique nécessite certaines habiletés, aptitudes et attitudes. Sans elles, celui qui s'y aventure risque l'échec.

Certaines considérations d'ordre pédagogique sont sans doute au cœur des réticences envers l'enseignement à des grands groupes, tels:

- la méfiance et le manque de motivation des étudiants;
- la difficulté de recourir à des stratégies actives d'apprentissage;
- le contexte impersonnel de la relation entre l'enseignant et ses étudiants;
- la difficulté d'assurer le suivi des apprentissages des étudiants et de vérifier l'atteinte des objectifs;
- la difficulté d'atteindre certains niveaux d'apprentissage;
- l'évaluation adéquate des apprentissages;
- la lourdeur et le contrôle des corrections;
- le risque de plagiat;
- la difficulté d'obtenir et de donner des rétro-actions adéquates;
- le risque d'augmentation du taux d'échecs et d'abandons;
- la gestion de la diversité des étudiants tant au niveau de la préparation et des connaissances antérieures qu'au plan des habiletés, des aptitudes et de la motivation;
- le soutien pédagogique à assurer aux étudiants;
- le soutien à l'enseignant lui-même (auxiliaires d'enseignement, locaux, matériel, etc.).
- l'amplification possible des problèmes dus au fait même du grand groupe (par exemple, les aspects disciplinaires);

61

- l'ampleur, pour l'enseignant, de la préparation et de l'organisation du cours;
- le soutien logistique souvent inadéquat.

Ces préoccupations sont tout à fait légitimes, et très peu de recherches ont été réalisées qui peuvent guider l'enseignant (Gleason Weimer et Kerns, 1987). Certaines études viennent cependant les relativiser quelque peu.

Ainsi, à la suite d'une étude sur les relations entre la réussite des étudiants et la taille du groupe, Williams *et al.* (1985) laissent voir que le nombre d'étudiants dans un groupe-cours a peu d'incidence significative sur la réussite des études. L'augmentation du nombre d'étudiants par classe n'aurait pas d'effet radical sur le rendement des étudiants au plan cognitif. De même, Hudson (1985) montre que la taille du groupe n'a que peu d'importance sur l'activité d'apprentissage. Peu importe la taille du groupe, les stratégies d'enseignement et la motivation des étudiants demeurent les facteurs déterminants. Hudson est d'avis que bon nombre d'apprentissages se réalisent en dehors de la classe, lors de recherches, de lectures, d'échanges entre collègues, de travaux d'équipe, etc.

Une étude réalisée par Wulff, Nyquist et Abbot (1987) montre que les étudiants ne sont pas nécessairement réfractaires aux grands groupes. En fait, 49 % d'entre eux disent préférer ce type de fonctionnement. Toutefois, ceux qui y sont défavorables considèrent, entre autres, que le manque de participation et la nature impersonnelle des contacts avec le professeur et entre les étudiants ont un effet négatif sur les apprentissages.

Moss et McMillen (1980) ont constaté que très souvent les stratégies utilisées dans les grands groupes visent la transmission de connaissances et le développement d'habiletés intellectuelles plutôt que la résolution de problèmes et l'apprentissage de la pensée critique. Ces auteurs sont d'avis que le choix des stratégies et des méthodes d'enseignement, plus que la taille du groupe, a une influence sur les objectifs atteints. Frederick (1987) laisse également voir que les stratégies basées sur la participation, l'interaction et l'implication des étudiants, par rapport à leur propre processus d'apprentissage, sont applicables en grand groupe. Cet auteur souligne cependant que ces stratégies supposent que l'enseignant ne se limite pas à un enseignement magistral «traditionnel», mais qu'il planifie et organise l'enseignement pour le rendre «vivant». L'enseignant doit faire en sorte que le cours devienne un lieu de confrontation des idées, de discussions entre participants et de développement de la pensée critique. La transmission des connaissances peut être différée par des lectures, le recours aux médias et diverses stratégies.

CONDITIONS D'EFFICACITÉ

La recension des écrits montre que pour atteindre un bon degré de réalisation des objectifs d'enseignement dans les grands groupes, certaines conditions sont nécessaires. Celles-ci touchent principalement les aspects humains, pédagogiques et matériels (Herr, 1989; Hudson, 1985; Aronson, 1987; Brooks, 1987).

Ces conditions d'efficacité s'adressent principalement aux enseignants responsables d'un grand groupe.

Un bon nombre des éléments mentionnés renvoie à une pédagogie de base. Toutefois, l'objet de la présente étude n'est pas de distinguer ce qui est propre à l'une ou à l'autre. Les éléments retenus ici sont essentiellement ceux qui interviennent dans une démarche appropriée à des grands groupes.

Ces conditions devraient permettre de dépasser les limites et les inconvénients de l'enseignement à des grands groupes et de mettre l'accent sur les avantages qui y sont reliés.

Il importe donc de noter que la mise en place d'une pédagogie adéquate suscite des changements importants sur tous les plans et nécessite la participation et l'appui des étudiants, des enseignants, des modules et des départements ainsi que de l'institution.

Les étudiants

Les auteurs consultés (McGee, 1980; Lewis, 1982; Giauque, 1984; Herr, 1989; Pearson, 1990; Cole, 1991) sont d'avis que, peu importe la taille du groupe, les processus d'enseignement et d'apprentissage sont largement tributaires de la relation entre l'enseignant et ses étudiants. De façon générale, un enseignant doit:

- s'appliquer à établir un bon contact avec ses étudiants;
- mettre l'accent sur l'implication active de l'étudiant dans sa démarche d'apprentissage;
- permettre à l'étudiant de puiser dans ses propres expériences pour allier théorie et pratique;
- fournir rapidement une rétroaction sur la performance;

- respecter le potentiel de l'étudiant et ses façons d'apprendre.

La participation des étudiants. Bon nombre d'étudiants assistent passivement à un cours, et plusieurs ne perçoivent pas la salle de cours comme un lieu de participation active. Certains se sentent à l'aise dans un contexte anonyme où ils n'ont pas à intervenir, où ils ne seront pas interpellés. Cela n'est pas particulier aux grands groupes, mais cette formule n'est pas, en soi, de nature à changer cette situation. Certains étudiants craignent de s'exprimer dans un groupe (Wulff, Nyquist et Abbot, 1987). Toutefois, même dans un grand groupe, d'autres étudiants se sentent à l'aise pour poser des questions, passer des commentaires et ils interviennent souvent.

Il est largement établi en pédagogie que la participation des étudiants favorise l'apprentissage (*learning by doing*). À l'intérieur d'un grand groupe, il importe donc que les étudiants soient interpellés et mis en situation de participation active et ce, comme nous le verrons, surtout dans les sous-groupes de travail. Leur implication et leurs responsabilités dans leur démarche de formation doivent être les mêmes, peu importe la taille du groupe. La prise en charge par les étudiants de leur démarche d'apprentissage dans les grands groupes revêt la même importance que dans les groupes plus restreints (Roueche, 1984; Lewis, Woodward et Bell, 1988).

La technologie peut être utilisée pour faciliter la communication entre les étudiants. Pour contrer l'isolement des étudiants à l'intérieur d'un grand groupe, il peut être intéressant d'utiliser le babillard électronique afin de mettre en commun certaines informations liées au cours. Par exemple, par le biais de cet outil, un étudiant pourrait envoyer des messages à d'autres étudiants soit parce qu'il a besoin d'aide, soit parce qu'il a découvert un document pertinent, une référence intéressante, soit parce qu'il souhaite entrer en contact avec d'autres étudiants pour discuter d'une même problématique, d'un travail, etc. Le babillard électronique peut également permettre aux étudiants de recevoir rapidement des consignes de l'enseignant.

Les étudiants doivent être conscients des responsabilités qui leur incombent et il importe que l'enseignant le leur rappelle dès le premier cours. Les études universitaires requièrent une discipline personnelle que seul l'étudiant peut se donner, par exemple, présence aux cours, respect de l'horaire, du contexte, des exigences, honnêteté aux examens, etc. L'étudiant a besoin et est en droit d'être guidé et soutenu sur le plan pédagogique, mais il doit y mettre les efforts requis. Sur cela, nul autre que lui n'a de contrôle. Si la motivation peut stimuler la volonté de réussir, elle n'assure pas pour autant la réussite (Frederick, 1987).

La communication enseignant-étudiant. L'importance d'une communication réelle et continue entre les intervenants est tout autant reconnue.

L'objectif visé par l'enseignant est d'abord de créer un climat dans lequel les étudiants veulent apprendre (Knapper, 1987). Les recherches (Weaver et Cotrell, 1987; Frederick, 1987; Lewis, Woodward et Bell, 1988; Cole, 1991) montrent que les étudiants apprennent mieux dans un contexte détendu où ils se sentent encouragés, stimulés et intéressés, où l'atmosphère reflète l'harmonie, la cohérence et la confiance. À l'inverse, ils témoignent peu d'intérêt lorsqu'ils sont dans un contexte où règnent le négativisme, l'indifférence, la crainte ou, encore, dans un contexte anonyme et impersonnel (McKeachie, 1986).

À l'intérieur d'un grand groupe, un des aspects les plus dérangeants est sans aucun doute celui qui rend compte de la difficulté, sinon de l'impossibilité, pour l'enseignant, d'établir des contacts individuels avec chacun des étudiants. À la limite, l'enseignant se familiarise avec les visages. Toutefois, comme il est pratiquement irréalisable de retenir le nom de chaque étudiant, il est souhaitable d'utiliser certaines stratégies ayant pour effet de personnaliser la relation enseignant-étudiant. Par exemple, l'enseignant s'adresse, à l'occasion, aux étudiants dont il connaît le nom, soit parce qu'il a avec eux des contacts plus fréquents, soit qu'il les ait connus auparavant (Gleason, 1986). L'utilisation de moyens technologiques tels le babillard électronique, la messagerie vocale et le courrier électronique peut également être d'un grand soutien pour individualiser les contacts enseignant-étudiants.

Dans un grand groupe, malgré l'aspect anonyme du contexte, il faut établir un climat favorable aux apprentissages. La réussite d'un cours ne tient pas uniquement au contenu présenté, à la grandeur de la salle de cours et au nombre d'étudiants présents. La façon dont le contenu est transmis et les attitudes adoptées par l'enseignant revêtent également une grande importance (Lewis, 1982; Herr, 1989).

Les enseignants

Les enseignants sont, avec les étudiants, les personnes les plus importantes dans la réussite de l'enseignement à des grands groupes. Ici, les conditions d'efficacité relèvent de la compétence et de la volonté de l'enseignant. À cet égard, les auteurs consultés sont unanimes: tous ne sont pas aptes à donner un cours à un nombre élevé d'étudiants.

L'enseignant idéal, nous disent Wulff, Nyquist et Abbot (1987), est un habile communicateur et est capable de «performance», ce qui suppose une grande maîtrise de la matière enseignée et une expérience certaine de communication. Il a le sens de l'organisation et sait, à l'occasion, utiliser l'humour. En plus d'être habile à résoudre des problèmes, il est dynamique et attentif. Son discours est clair, son débit pas trop rapide, sa voix forte et vivante. Il est capable de maintenir l'intérêt et est attentif aux points de vue des étudiants. Ses exigences et ses attentes sont clairement définies. Il allie bien théorie et pratique et est passionné par ce qu'il enseigne. Il sait établir avec les étudiants une relation adéquate et est capable de bien articuler les liens entre l'enseignement, les apprentissages, le contenu et le contexte.

Outre ses qualités de communicateur et de pédagogue, son désir personnel et volontaire de s'engager dans une telle expérience constitue une des conditions essentielles de succès dans son enseignement .

L'enseignant qui souhaite que son cours soit stimulant, voire «excitant», est d'abord et avant tout enthousiaste et passionné: l'enthousiasme est contagieux et la passion engendre la passion. Cet enseignant aime ce qu'il fait. Il veut partager ses connaissances et souhaite ardemment que ses étudiants apprennent et réussissent. Il fait de son mieux pour les aider dans cette démarche. Il dégage de l'énergie, est authentique et chaleureux. Il sait être à l'écoute et encourage les étudiants à s'exprimer. Il est confiant, mais non arrogant, et crée des liens avec ses étudiants.

Il faut dire qu'enseigner à un nombre élevé d'étudiants engendre un certain trac qui, bien que légitime, doit être maîtrisé. Certains facteurs contribuent à réduire le stress ou l'anxiété face à un grand groupe. La préparation adéquate du contenu du cours et la maîtrise de la matière à transmettre sont certes des facteurs essentiels. Mais il y a plus: la personnalité de l'enseignant est également déterminante. L'enseignant a tout avantage à rester lui-même, à exploiter ses talents de pédagogue, à mettre en valeur ses capacités et ses aptitudes tant au plan de l'organisation qu'au plan de la performance et de la compétence (Weaver et Cotrell, 1987).

L'équipe d'enseignants. L'enseignement à un grand groupe peut aussi être assuré par une équipe d'enseignants (*team teaching*) : deux enseignants ou plus se partagent les enseignements à l'intérieur d'un même groupe-cours. L'avantage du travail en équipe repose sur la complémentarité des connaissances faisant en sorte que chaque membre de l'équipe peut exploiter un domaine ou un thème dans lequel il excelle. Ainsi, les étudiants peuvent profiter des connaissances particulières de plusieurs enseignants.

Dans un tel cadre, chaque membre de l'équipe possède les mêmes responsabilités, fonctions et qualités que s'il enseignait seul. Toutefois, les enseignements contenus dans le cours sont répartis entre les membres de l'équipe. Chaque membre assume une partie de la tâche.

L'enseignement en équipe nécessite une capacité de fonctionner de façon harmonieuse avec un ou des collègues de travail et requiert une bonne entente afin d'assurer la cohérence, sur le plan des objectifs, des contenus à transmettre et de l'évaluation.

Une autre formule possible, courante dans certaines universités, implique qu'un seul enseignant soit titulaire du groupe-cours, mais qu'il soit assisté d'autres enseignants avec lesquels il fait équipe. Les formules à envisager sont nombreuses et dépendent du choix des personnes engagées.

Les auxiliaires d'enseignement: le soutien humain. De toute évidence, l'enseignant impliqué dans l'enseignement à des grands groupes doit avoir recours à des personnes, généralement des étudiants de 2e ou 3e cycle, pour assurer un soutien personnel à tous les étudiants d'un groupe-cours (Carpenter, 1982; Dixon, 1983; McKeachie, 1986; Larson, 1990). Chaque université utilise un terme qui lui convient pour désigner ce type de soutien humain: auxiliaires d'enseignement, assistants à l'enseignement ou encore, selon la tâche qui leur est confiée, correcteurs, moniteurs, démonstrateurs, etc.

À l'UQAM, les auxiliaires d'enseignement peuvent avoir différents rôles. Dans le présent ouvrage, le terme «auxiliaire d'enseignement» renvoie autant à la personne qui s'occupe d'aspects logistiques ou préparatoires à l'enseignement (bibliographie, collecte de données, polycopie, préparation de matériel, etc.) qu'à celle qui participe à des tâches plus directement reliées à l'enseignement même (supervision des travaux pratiques ou dirigés, correction des travaux et examens, encadrement des étudiants, etc.).

Compte tenu du grand nombre d'étudiants dans le cours, les auxiliaires d'enseignement doivent jouer un rôle pédagogique important puisqu'ils permettent une communication plus étroite avec les étudiants (par exemple, en assumant la responsabilité et l'animation de sous-groupes) et la prise en charge des difficultés pédagogiques des étudiants. Les auxiliaires d'enseignement, dans leur rôle d'animation, ont un contact plus individuel avec les étudiants. Ils peuvent donc renvoyer à l'enseignant des rétroactions importantes à propos du cours. Leur rôle consiste aussi à régler certains problèmes impossibles à aborder en grand groupe, à favoriser les discussions et à permettre à l'étudiant d'aller plus loin dans sa démarche de formation (Wilson et Tauxe, 1986; Larson, 1990).

De plus, ils constituent un soutien pédagogique important pour l'enseignant, par exemple, en assurant une partie de l'encadrement et de la correction de certains travaux (Roueche, 1984; Giauque, 1984). Plus encore que dans le cas de l'enseignement à des groupes restreints, ils sont appelés à établir une cohésion entre les enseignements du titulaire du cours et l'encadrement qu'ils assurent individuellement ou en sous-groupes.

Le choix des auxiliaires d'enseignement apparaît dès lors très important. Ils doivent être bien informés et formés afin d'assurer leur compréhension des objectifs visés, du rôle qu'ils doivent jouer auprès des étudiants et de leur apport sur le plan pédagogique. Enfin, comme on le verra plus loin, l'efficacité des auxiliaires d'enseignement est grandement tributaire de l'encadrement qu'ils reçoivent de l'enseignant responsable du cours, de leur compétence dans la matière et de la disponibilité qu'ils peuvent offrir aux étudiants (Aronson, 1987).

Les sous-groupes de travail. Dans le cadre de l'enseignement à des grands groupes, le recours à des sous-groupes de travail apparaît indispensable afin de contourner le problème de l'anonymat. Généralement, avons-nous dit, ces sous-groupes de travail sont sous la responsabilité des auxiliaires d'enseignement. Les étudiants y établissent des contacts entre eux et avec l'auxiliaire responsable du sous-groupe. Ils ont l'occasion d'échanger, de discuter, de clarifier certaines informations et d'être activement impliqués (McKeachie, 1986).

La tâche des auxiliaires dans le sous-groupe doit être bien définie et structurée, tant sur le plan du contenu que sur celui des objectifs, afin que les rencontres demeurent productives. Le sous-groupe peut servir de lieu privilégié pour réaliser un travail faisant partie de l'évaluation des apprentissages du cours (Herr, 1989).

Les modules et les départements

La gestion de l'enseignement représente une responsabilité importante des modules et départements puisqu'ils en assurent la planification et la concertation. Ils décident notamment des cours pouvant être offerts en grands groupes. Il leur incombe donc d'une manière plus particulière de décider du choix des enseignants et du soutien requis.

Il apparaît important que les responsables des programmes, l'assemblée départementale ainsi que le personnel affecté s'impliquent dans la recherche et la mise en place de conditions qui assurent la réussite de l'enseignement à des grands groupes. Leur implication doit se concentrer sur l'encadrement pédagogique des enseignants, surtout si ceux-ci ont moins d'expérience dans l'enseignement auprès d'un grand groupe. À cet égard, les départements ou les modules doivent offrir, avec le soutien de l'institution, des ateliers ou des rencontres entre enseignants, concernant les conditions pédagogiques propres à des grands groupes.

L'institution

Les choix pédagogiques concernant le type de groupe (grands groupes, groupes multiples, groupes restreints) relèvent de décisions prises à divers paliers de l'institution. Ces dernières sont, nous l'avons vu, tributaires de la taille de la clientèle d'une part et, d'autre part, du souci d'assurer une bonne qualité d'enseignement.

La décision de recourir à l'enseignement en grands groupes peut se répercuter sur la répartition des tâches, les pratiques d'attribution des locaux, les réservations d'équipement et les aménagements nombreux de la grille d'horaires. Il importe que tout soit mis en œuvre pour assurer la coordination entre les ressources humaines et physiques. À cet égard, l'institution joue un rôle important.

La gestion de l'enseignement

Quelle que soit la performance de l'enseignant, certains éléments, tels que les ressources physiques et humaines qui interviennent dans l'enseignement, risquent fort d'influencer négativement la motivation et la satisfaction des étudiants et de l'enseignant si une organisation adéquate n'a pas été prévue.

Plusieurs problèmes, bien que ne relevant pas de l'enseignant responsable du cours, ont un impact non négligeable sur l'efficacité de l'enseignement à un grand groupe. Ces problèmes renvoient aux locaux, à l'administration et à la gestion des cours, au travail de secrétariat, aux aspects matériels (photocopies, transport de documents, d'appareils, etc.), aux ressources financières, au travail d'encadrement des auxiliaires d'enseignement, aux inscriptions et à la reconnaissance adéquate de cette activité dans la charge d'enseignement (Wilson et Tauxe, 1986).

Le soutien physique. McGee (1980) et Gleason (1986) notent l'importance de l'environnement physique dans l'enseignement aux grands groupes. Un local inadéquat peut accroître le sentiment d'anonymat et de désintérêt. Il va sans dire que la grandeur du local peut créer une distance entre l'enseignant et les étudiants. La disposition du local ainsi que l'accessibilité à des locaux de grande taille sont des éléments qui influencent grandement les interactions entre l'enseignant et les étudiants. Un local suffisamment grand, bien aéré, bien éclairé, avec une excellente acoustique est une des principales conditions d'efficacité. L'entretien des locaux (tableaux propres, chaises et tables rangées, propreté générale d'un cours à l'autre) a également son importance.

Pour le bon fonctionnement d'un enseignement en grand groupe, il importe que le matériel et les équipements soient facilement accessibles, en quantité suffisante, de qualité et en bon état.

Dans les départements, l'organisation du travail, l'affectation des ressources (notamment de secrétariat) et certains aspects matériels sont habituellement prévus en fonction de groupes réguliers. Des mesures appropriées doivent donc être prises pour que le titulaire d'un grand groupe ne soit pas placé constamment en situation de marginalité ou devant des contraintes insurmontables, rendant ainsi extrêmement difficiles l'administration et la gestion d'un cours en grand groupe.

Les ressources financières. Il est essentiel qu'on puisse disposer de ressources suffisantes pour les auxiliaires d'enseignement et leur formation, pour les personnels de soutien et pour le matériel pédagogique (Wilson et Tauxe, 1986). Or, il importe de signaler que, justement, le grand groupe permet des modes d'affectation des ressources différents qui rendent accessible un soutien pédagogique adéquat.

L'encadrement des auxiliaires d'enseignement. L'encadrement des auxiliaires d'enseignement représente également une des conditions d'efficacité pédagogique dans les grands groupes. Cet encadrement requiert du temps. L'enseignant responsable d'un grand groupe se doit de rencontrer les auxiliaires de façon régulière afin de les guider, de recevoir leurs commentaires quant aux rétroactions des étudiants, de clarifier certains problèmes, de faire les réajustements qui s'imposent tout au long de la session. Avant le début de la session, il doit tenir avec eux plusieurs rencontres afin de les informer des objectifs, de leurs tâches, de leur rôle ainsi que de déteminer les modalités d'évaluation et de correction. À la fin de la session, il doit réaliser avec eux une évaluation (Wilson ct Tauxe, 1986).

La relation enseignant-auxiliaire d'enseignement est un élément clé qui assure la cohésion du cours. Le temps requis pour l'encadrement est important, bien que difficile à évaluer. Chose certaine, l'encadrement doit être inclus dans les priorités pour assurer l'efficacité du cours (Larson, 1990).

Le contrôle des inscriptions. Même dans un groupe de grande taille, il serait souhaitable de ne pas aller au-delà d'un nombre prédéterminé d'inscriptions en raison du local et surtout en raison des conditions pédagogiques recherchées pour la réalisation des objectifs du cours. Les exigences propres aux grands groupes requièrent une planification rigoureuse qui exige un échéancier pour la préparation et la mise en œuvre du cours. Toute décision comportant l'ajout d'étudiants devrait être prise en consultation avec l'enseignant responsable du cours (Wilson et Tauxe, 1986).

Le cours

Nous en arrivons maintenant au cœur de nos préoccupations: les moyens à privilégier pour assurer la qualité du cours.

La préparation d'un cours. Quelle que soit la taille du groupe, toute préparation d'un cours passe par la définition des objectifs et du contenu, le choix des méthodes et des moyens d'enseignement ainsi que par la planification de l'évaluation des apprentissages. La préparation du contenu du cours revêt aussi une importance capitale. Chaque cours doit être préalablement préparé et constamment révisé et adapté au groupe-cours. Ces données servent, d'une session à l'autre, à mieux circonscrire la matière et à évaluer le temps requis pour la couvrir (Herr, 1989).

L'enseignant responsable d'un grand groupe doit tenter de réduire au minimum les éléments de stress qui peuvent paralyser ce type d'enseignement. L'enseignant qui semble mal préparé tout au long de son cours risque d'être peu crédible auprès des étudiants. Le manque de préparation et d'organisation devient plus évident dans un grand groupe que dans un petit groupe. Par contre, si l'enseignant est bien préparé et que les étudiants connaissent les points abordés dans le cours, leur intérêt tend à augmenter ainsi que leur satisfaction, ce qui influencera grandement leurs apprentissages et leur performance en classe (Weaver et Cotrell, 1987).

Le plan de cours. Dans l'enseignement à des grands groupes, un plan de cours soigneusement préparé est un outil particulièrement déterminant. Il sert de canal de communication privilégié. Il importe qu'il soit préparé bien à l'avance et soit rendu disponible le plus tôt possible. Son contenu, bien structuré, doit inclure la description du cours, les objectifs généraux et spécifiques, la démarche, les dates et les sujets traités (conférenciers invités, présentation de films, s'il y a lieu), les dates et les lieux prévus pour les rencontres en ateliers ou en sous-groupes, l'horaire de la disponibilité de l'enseignant et des auxiliaires d'enseignement, les détails sur l'évaluation (modalités, critères de correction, dates d'examen, dates de remise des travaux), les attentes et exigences face au cours (présence, respect de l'horaire, bruit, etc.), les méthodes et stratégies d'enseignement, les moyens technologiques utilisés, les lectures à effectuer, les échéances et une bibliographie (Brooks, 1987).

Les objectifs et le contenu du cours. Afin d'élaborer le contenu du cours, il faut d'abord déterminer les types d'apprentissage requis et les habiletés à développer en identifiant les objectifs généraux et les objectifs spécifiques (Lewis, Woodward et Bell, 1988).

Certains objectifs semblent plus difficiles à atteindre dans le cadre d'un enseignement aux grands groupes. Ainsi la transmission de connaissances factuelles ou l'explication de certains concepts de base peuvent être adéquatement réalisées en grand groupe, alors que le développement d'habiletés et d'attitudes dans le cas, par exemple, de l'apprentissage par résolution de problème, apparaît plus facile à atteindre à l'intérieur de sous-groupes ou ateliers (Gleason Weimer et Kerns, 1987).

Peu importe la taille du groupe, il n'est généralement pas possible d'aborder dans un seul cours tous les éléments pertinents à l'objet du cours. À cet égard, il faut se rappeler que, plus que la quantité, c'est la qualité des enseignements et des apprentissages qu'on doit privilégier. Le contenu d'un cours ne se limite pas à la transmission d'informations, il vise aussi l'implication des étudiants, la motivation, l'application des concepts, la démonstration, la clarification, l'analyse, le questionnement, la discussion, la sensibilisation, la synthèse (McKeachie, 1986).

Favoriser l'implication et la motivation des étudiants demeure la tâche première de l'enseignant puisque cela permet de meilleurs apprentissages. Si l'enseignant ne réussit pas à motiver ses étudiants, ceux-ci risquent de s'ennuyer et de recevoir passivement la matière enseignée. Tous les auteurs consultés sont d'avis que la motivation est une garantie de l'apprentissage.

Le choix des stratégies d'enseignement et des activités d'apprentissage. Le style d'enseignement utilisé (faits, gestes, intérêts, communication, caractère) (Legendre, 1993) est un aspect important dans l'atteinte des objectifs du cours. Dans le cas de l'enseignement aux grands groupes, McGee (1980) propose de référer à un modèle «d'art dramatique», tenant compte du fait qu'on s'adresse à un vaste auditoire.

Il faut appliquer une grande variété de méthodes d'enseignement, même auprès de grands groupes, pour mieux capter l'attention des étudiants. La plupart de ces méthodes, sauf l'enseignement magistral, exigent le partage du groupe et des ressources d'encadrement. De toute évidence, elles doivent être choisies en fonction des objectifs visés (Pearson, 1986; Frederick, 1987).

L'enseignement magistral à un grand groupe n'est pas à rejeter. Cette méthode d'enseignement peut s'avérer le moyen le plus pertinent pour démontrer certains concepts et contenus. Étant donné les attentes et le degré d'autonomie et de motivation des étudiants universitaires, et compte tenu que l'encadrement puisse être assumé par des auxiliaires d'enseignement bien formés, cette méthode peut être très efficace et assurer des apprentissages de qualité; elle peut même stimuler l'atteinte de l'autonomie et de la motivation souhaitées.

Par ailleurs, on ne doit pas se limiter à l'enseignement magistral. Il vaut mieux opter pour une formule du grand groupe faisant place à des sous-groupes ou d'autres activités d'apprentissage appropriées (Knapper, 1987). Par exemple, la transmission des contenus de base peut se réaliser par le biais de moyens telles les lectures dirigées, l'utilisation de la technologie (enseignement assisté par ordinateur), ou toute autre méthode ayant prouvé son efficacité. On peut avantageusement avoir recours aux médias pour la transmission du contenu notionnel; le temps d'enseignement est alors réservé à l'approfondissement des connaissances et à l'atteinte des objectifs d'apprentissage d'ordre supérieur (Larson, 1990).

En grand groupe aussi, les stratégies d'enseignement retenues doivent permettre une certaine forme de participation des étudiants. L'enseignant peut inciter les étudiants à participer en classe en organisant des débats, en les questionnant oralement pour qu'ils puissent interagir entre eux et avec lui. Il importe de laisser place aux échanges qui permettent d'accroître les apprentissages, de clarifier certaines confusions, de mieux répondre aux intérêts et de susciter l'attention des étudiants. Des périodes de discussion doivent être intégrées à l'horaire, non seulement pour éviter la passivité, mais pour encourager les étudiants à résoudre des problèmes, à émettre leurs opinions, à mieux communiquer (Wilson et Tauxe, 1986; Herr, 1989). Ce qui n'exclut nullement que le sous-groupe ou l'atelier reste le lieu privilégié de participation active des étudiants, d'échange et de communication. De même, le recours à des exemples pertinents et à l'étude de cas concrets permet de faire le lien entre la théorie et la pratique. Les apprentissages sont ainsi mieux intégrés (Larson, 1990).

L'hétérogénéité du groupe peut présenter une difficulté si l'enseignant la perçoit comme un obstacle à ses enseignements. Au contraire, l'enseignant qui apprend à apprécier la diversité y trouve une richesse à exploiter. Pour bien saisir les éléments présentant des différences et des ressemblances, l'enseignant peut s'informer du profil des étudiants en leur faisant remplir une série de questions liées à leurs antécédents (par exemple: diplôme antérieur, nombre de cours suivis reliés au présent cours et dans le programme), à leurs connaissances (vision spontanée de la matière), à leurs intérêts et à leurs attentes face au cours. Ces informations, fort pertinentes, ont le mérite de fournir un portrait global du groupe, de saisir les points de convergence ainsi que les écarts sur le plan des connaissances. Les enseignements peuvent ensuite être adaptés au groupe-cours et permettre à l'enseignant de mettre à profit l'hétérogénéité du groupe et de stimuler les apprentissages à partir des connaissances acquises (McGee, 1980; Wright et Bond, 1985).

Une documentation pédagogique pertinente (manuels de référence, notes de cours) doit être fournie aux étudiants (Hudson, 1985). De plus, l'enseignant doit être en mesure de donner aux étudiants des repères de divers ordres (moments et types de contacts avec l'enseignant; personne-ressource à qui s'adresser personnellement) pour qu'ils puissent se situer personnellement à l'intérieur d'un grand groupe.

L'évaluation des apprentissages. L'évaluation des étudiants peut être un élément dynamique du processus d'apprentissage. Elle permet de vérifier la compréhension des étudiants, les acquis réalisés et l'atteinte des objectifs visés par les enseignements. Peu importe les modes d'évaluation choisis ou les situations d'enseignement, l'évaluation doit permettre à l'étudiant de prendre conscience de ses apprentissages. En ce sens, l'évaluation est aussi une contribution à l'apprentissage.

Afin d'être équitable et de faire face à la diversité des besoins et des aptitudes des étudiants, il est souhaitable d'avoir recours à plus d'un mode d'évaluation. Dans tous les cas, l'enseignant devra définir clairement les attentes, les exigences, les objectifs visés par l'évaluation. Dans les travaux et examens, les questions posées doivent être claires et précises (Wilson et Tauxe, 1986; Lowman, 1987). De façon idéale, ces travaux et examens devraient toujours être résolus par l'enseignant avant d'être distribués.

Dans la mesure du possible, l'enseignant doit s'efforcer de réduire l'aspect négatif de l'évaluation; cet aspect occasionne un stress et fait en sorte que l'étudiant la perçoit comme «un mal nécessaire». L'évaluation se doit d'être utilisée dans une perspective de développement et en tant que renforcement à la prise en charge des apprentissages (McKeachie, 1986). À cet effet, il peut être utile de rappeler deux types d'évaluation: formative et sommative. Le premier type vise à mesurer, de façon continue, les acquis des étudiants et permet à l'enseignant d'adapter son enseignement aux besoins du groupe-cours. De plus, dans le contexte de grands groupes, l'évaluation formative est un substitut de ce que permet le contact direct dans les petits groupes. Le second type vise à mesurer les apprentissages au terme d'un cours, d'une partie de programme ou d'un programme (Wales et Nardi, 1981; Murray, 1987; Lowman, 1987).

À l'intérieur d'un grand groupe, l'évaluation est assurément difficile à réaliser, en raison surtout du nombre élevé d'étudiants. À cet égard, nous relevons ci-dessous quatre aspects importants de l'évaluation dans le contexte des grands groupes:

- *Le choix des modes d'évaluation et les corrections*
  Plusieurs pensent qu'en raison précisément du nombre élevé d'étudiants la panoplie des outils et des modalités d'évaluation est restreinte et, qu'à toutes fins utiles, elle se ramène à des questions objectives de type fermé, excluant entre autres toute forme de développement. Contrairement à cette opinion généralement admise, il est tout à fait possible de recourir à des formules permettant des questions à développement, grâce à une organisation et à une instrumentation adéquates (Lewis et Woodward, 1984). À cet égard, mentionnons particulièrement trois moyens: le soutien de la technologie informatique, le recours à des auxiliaires d'enseignement bien formés et bien encadrés et, enfin, l'utilisation de sous-groupes. Trois moyens qui peuvent se combiner selon les situations ou les besoins.

- *La rétroaction aux étudiants*

  La rétroaction aux étudiants peut contribuer grandement au processus d'apprentissage. Toutefois, elle demande un effort particulier dans un contexte de grands groupes puisqu'elle s'avère plus complexe. Bien qu'elle exige beaucoup de temps, il apparaît important d'insister sur la motivation et le progrès qu'elle permet chez les étudiants. Ceux-ci apprécieront les commentaires que l'enseignant formulera sur les copies d'examen ou sur les travaux pratiques (Pearson, 1986 et 1990; Hudson, 1985; Cole, 1991). La rétroaction peut aussi être donnée en classe lors d'exercices en petits groupes, ou individuellement lorsque l'étudiant rencontre l'enseignant ou l'auxiliaire d'enseignement.

- *La rétroaction des étudiants*

  S'il est important de donner une rétroaction aux étudiants, il est également fondamental pour l'enseignant de recevoir la leur. L'enseignement n'est pas un processus à sens unique. Si l'évaluation statutaire des enseignements, réalisée en fin de session, fournit à l'enseignant une forme de rétroaction, celle-ci arrive bien tard pour permettre des ajustements.

  À l'intérieur d'un grand groupe, la rétroaction des étudiants peut être recueillie auprès des auxiliaires d'enseignement ou encore au sein même du groupe-cours. Il importe donc de prévoir des mécanismes qui permettront aux étudiants de s'exprimer, car leurs commentaires peuvent être fort précieux. L'enseignant peut alors modifier ses stratégies éducatives ou encore vérifier que ses enseignements soient adéquats.

- *La tenue des examens*
La tenue des examens dans les grands groupes préoccupe bon nombre d'enseignants. Il est certain que quelques étudiants tenteront toujours de plagier. L'institution et l'enseignant doivent donc prévoir des conditions matérielles adéquates pour la tenue de tels examens, de manière à assurer la fiabilité des résultats: locaux, horaires, identification, surveillance.

Ainsi, en l'absence de locaux adéquats, on pourrait diviser le grand groupe en petits groupes et confier à des auxiliaires d'enseignement la responsabilité de la surveillance de l'examen. Une autre méthode consiste à produire des versions multiples d'un même examen (Wilson et Tauxe, 1986).

Le déroulement du cours. Le premier cours est crucial en ce sens qu'il détermine le climat du groupe pour le reste de la session. C'est précisément à ce moment que s'établissent les relations enseignant-étudiants (Herr, 1989). Ainsi, dès le premier cours, l'enseignant se présente en donnant suffisamment d'informations sur lui-même pour que les étudiants puissent, au départ, mieux le connaître (Gleason, 1986). Il présente ensuite le plan de cours en détail. Il prend le temps de bien expliquer les objectifs du cours, le cadre dans lequel ce cours se situe, sa place et son importance dans le programme. Il établit les exigences et discute de l'évaluation. Il s'informe des attentes et des intérêts des étudiants. Un aperçu du contenu est ensuite abordé afin que les étudiants se familiarisent avec la matière et avec le «style» de l'enseignant.

Dans un grand groupe, ce n'est pas nécessairement facile de capter et de maintenir l'attention des étudiants. Pour susciter l'intérêt, l'enseignant peut recourir à diverses méthodes qui stimulent l'imagination. Il implique les étudiants en utilisant des techniques de participation aux apprentissages.

Par ailleurs, bien que les étudiants aient atteint le niveau universitaire, le respect d'une certaine discipline ne va pas de soi et ce, plus particulièrement au sein d'un grand groupe. Certains comportements des étudiants peuvent être fort dérangeants pour l'ensemble du groupe-cours. Pour contrer ce problème, il importe que l'enseignant soit ferme, qu'il établisse les règles et normes qui prévaudront dans le groupe-cours dès le départ et que, tout au long de la session, il les fasse respecter. La cohésion du groupe en dépend (Brooks, 1987; Herr, 1989).

QUELQUES EXPÉRIENCES VÉCUES

Recherches américaines

La recension des écrits fait état de plusieurs expériences vécues. Lewis (1982) et Lewis et Woodward (1984) font part d'une étude réalisée à l'Université du Texas à Austin. Cette étude avait pour objectif d'évaluer la satisfaction des étudiants et des enseignants dans le cadre d'un enseignement à des grands groupes au niveau de programmes de premier cycle en vue de l'obtention d'un baccalauréat ès arts, en génie, en administration ou en sciences. Dans tous les cas, le degré de satisfaction des étudiants était étroitement lié à la compétence et à l'enthousiasme de l'enseignant ainsi qu'à sa capacité d'interagir avec les étudiants.

À l'Université de la Californie à Berkeley, une étude réalisée par Wilson et Tauxe (1986) auprès de 140 professeurs, enseignant à des groupes de 100 étudiants et plus, montre que l'enseignement en grand groupe nécessite une réflexion préalable qui permettra d'établir des mesures susceptibles d'assurer sa réussite. À cet égard, les enseignants consultés ont formulé des recommandations ayant trait aux conditions d'efficacité. Ces conditions sont celles qui ont été énumérées précédemment.

À l'Université du Delaware, Craig, O'Neil et Elfner (1979) ont étudié, entre autres, l'impact de la taille du groupe sur la rétention à long terme du contenu des apprentissages et sur la performance des étudiants. L'expérimentation, qui a duré plus de quatre ans et impliqué des groupes de 40 à 75 étudiants et des groupes de plus de 250 étudiants en économie, n'a montré aucune différence significative entre les étudiants issus des grands groupes et ceux issus des petits groupes.

Pour leur part, Spretcher et Pocs (1987) font état des stratégies d'apprentissage mises de l'avant dans l'enseignement aux grands groupes. Parmi les techniques utilisées, ces auteurs recommandent les exercices personnels, les rapports écrits, les discussions en groupes restreints, les travaux hebdomadaires, les entrevues et les recherches personnelles. S'ils ne comparent pas les techniques les unes par rapport aux autres, ces auteurs soulignent l'importance de motiver les élèves, de les rendre actifs et de favoriser un apprentissage dynamique.

Rosenkoetter (1984) fait état de son expérience des grands groupes en soulignant l'importance de varier les modèles d'apprentissage et les stratégies d'enseignement. Pour motiver les étudiants, favoriser les apprentissages et établir des contacts, Rosenkoetter propose que l'enseignant face à un grand groupe ait recours, entre autres, à une formation individualisée pour le contenu de base (livre avec guide d'apprentissage), à des illustrations ou à des jeux questionnaires télévisuels (à présenter en classe ou en petits groupes sur vidéocassette) et à des cours magistraux pour encadrer l'enseignement.

Résultats de l'enquête menée à l'UQAM

Les résultats de notre enquête à l'UQAM laissent voir que les enseignants qui ont expérimenté l'enseignement à un grand groupe y trouvent plusieurs avantages. Ils affirment que cette stratégie d'enseignement n'est pas à rejeter; bien au contraire, elle présente un défi pédagogique fort intéressant, qui leur apporte une satisfaction personnelle dans la mesure où leur cours est très bien structuré.

De l'avis des enseignants interrogés, il n'y a pas d'impact négatif sur la matière enseignée dans un grand groupe si toutes les conditions d'efficacité sont présentes. Ceux qui ont expérimenté ce type de pédagogie n'ont pas observé de différences significatives dans la performance des étudiants évaluée dans leurs travaux et examens. À cet égard, ils font remarquer que plusieurs études réalisées auprès d'universités ayant expérimenté l'enseignement à des grands groupes depuis bon nombre d'années montrent qu'il n'y a aucune différence significative sur le plan de la performance et de l'apprentissage des étudiants, en grands groupes ou en petits groupes.

Les principales difficultés soulevées et identifiées par ces enseignants relèvent surtout des conditions matérielles et de logistique (locaux, photocopies, manque de livres à la librairie et à la bibliothèque de l'université, absence d'équipement, problèmes relatifs au matériel et à l'équipement). Ces enseignants mettent l'accent sur l'absence de politique institutionnelle pour réaliser un enseignement en grand groupe. L'absence d'aide et de soutien engendre une grande frustration: c'est précisément ce qu'il faut éliminer.

À partir des commentaires des enseignants interrogés, il fut possible d'identifier très clairement les conditions d'efficacité de l'enseignement à des grands groupes. Nous avons pu constater que ces conditions recoupent largement les écrits recensés qui ont alimenté le présent document.

Séminaire d'intégration aux Sciences de l'éducation à l'UQAM

À l'UQAM, il existe deux formats de contenus au premier cycle: 1) des cours plus théoriques offerts par les départements et qui portent sur des connaissances scientifiques nécessaires à chaque programme d'étude; 2) des cours plus pratiques qui permettent à l'étudiant de développer les habiletés propres à la formation qu'il reçoit dans un champ donné et qui sont offerts par les modules.

À l'été 1988, la direction du programme de baccalauréat d'éducation au préscolaire et d'enseignement au primaire (formation initiale) a pris la décision de réunir en une seule classe tous les étudiants d'un de ses cours modulaires[1], pour les raisons suivantes:

- le type d'information véhiculée dans le cours se prêtait bien à un grand groupe; il était important que les étudiants constatent qu'ils avaient bien tous reçu la même information initiale;
- ce type de regroupement permettait de recevoir des invités de marque qui acceptent de rencontrer en une seule visite un grand groupe d'étudiants;
- en augmentant le ratio étudiants/enseignant pour ce cours, il était permis de réduire avantageusement ce rapport pour les cours pratiques de stages où l'encadrement individuel est considéré comme nécessaire;
- l'équipe modulaire pouvait assurer un accueil structuré;
- chaque étudiant pouvait mieux développer un sentiment d'appartenance à une cohorte;
- les enseignants concernés[2] étaient intéressés à tenter une expérience de *team teachning* (enseignement

---

1   Il s'agit du cours PPM 1000 qui est le premier cours à suivre dans le programme de Baccalauréat en éducation préscolaire et en enseignement au primaire (formation initiale) à l'UQAM. Ce programme contingenté accueille 250 étudiants au début de l'année universitaire.

2   Les professeurs concernés sont des enseignants dégagés pour quelques années par leur commission scolaire, qui sont attachés à un département de l'UQAM et qui travaillent à temps plein dans un module.

par équipe) où ils doivent préparer, donner et évaluer ensemble chaque étape du cours.

Le cours fut soumis à la fin de la session d'automne 1988 à deux évaluations. Au «Questionnaire d'évaluation des enseignements», ordinairement utilisé par le module, s'ajoutait un instrument d'évaluation supplémentaire intitulé «Pédagogie des grands groupes — Recherche d'informations». L'étude des résultats produits par ce second instrument a permis de faire ressortir cinq points de satisfaction et cinq points d'insatisfaction.

Suivant la description donnée par les indicateurs, les cinq points de satisfaction sont:

- le sentiment d'appartenance de chaque étudiant à la cohorte;
- la dynamique d'enrichissement collectif;
- l'éventail de l'expertise;
- l'homogénéité des informations;
- la pertinence de la formule diversifiée.

Les cinq points d'insatisfaction sont:

- les aspects techniques;
- la capacité de concentration;
- la formulation des consignes;
- la logistique organisationnelle;
- la qualité des relations entre les personnes.

Afin de réduire l'insatisfaction, les professeurs ont apporté les réponses suivantes:

- *Les aspects techniques* Ils ont d'abord conscientisé la régie des locaux aux besoins spécifiques d'un enseignement à un grand groupe: installation prioritaire des micros et autre matériel technique à l'auditorium (avant les classes), nécessité d'un écran vidéo géant ou d'au moins deux petits écrans, chaises supplémentaires lorsque le nombre d'étudiants sur les listes du registraire dépasse le nombre de sièges disponibles. Ils ont également développé des liens très étroits avec les gens des services techniques afin d'obtenir rapidement des solutions de dépannage lorsque nécessaire;

• *La capacité de concentration* Cette dimension est liée à la taille du local et aussi à l'âge des étudiants. Les professeurs ont aussi remarqué que plus les gens étaient proches du communicateur, plus ils étaient absorbés par ses propos; stratégiquement, ils ont encombré quelques bancs arrière trop isolés pour forcer les étudiants à s'installer plus en avant. En faisant appel au comportement professionnel de ces futurs maîtres, ils ont fait progresser la conscience sociale des étudiants: qualité de l'écoute, attention soutenue, respect des interventions, etc. Ils ont varié le rythme des présentations et les modalités d'apprentissage. Le dynamisme devint un critère essentiel dans le choix des conférenciers;

• *La formulation des consignes* Les professeurs ont réalisé que la concertation entre eux devait être parfaite, que les tâches devaient être très clairement établies avec des responsabilités précises reliées à chaque dossier. Il est apparu également nécessaire de donner toutes les consignes par écrit parce que le nombre très grand d'étudiants favorise la multiplication des interprétations. Enfin, il a été donné à chaque conférencier des objectifs très précis auxquels il ne doit pas déroger pour éviter les recoupements avec d'autres exposés;

- *La logistique organisationnelle* Pour améliorer ce point, l'équipe d'enseignants a rattaché chaque étudiant à un sous-groupe, toujours le même, toujours dans le même local. Les locaux sont situés près les uns des autres et à proximité de l'auditorium. Un système de contrôle discret, efficace, accepté et rapide, pour les présences et les travaux, donne à l'étudiant une impression d'équité très satisfaisante. Enfin, huit étudiants finissants sont engagés pour fournir un encadrement continu à chaque sous-groupe;
- *La qualité des relations entre les personnes* L'équipe d'enseignants a réalisé que la proximité physique entre les gens favorise une impression de rapprochement psychologique; on évite donc maintenant les locaux trop grands par rapport au nombre d'étudiants. La tribune (scène) est aussi à éviter parce que trop théâtrale. Des ateliers en sous-groupes favorisent la complicité entre les étudiants. Enfin, en grands groupes, les attitudes des enseignants ne sont pas perçues de façon aussi évidente. La manifestation de l'ouverture, de la disponibilité, de l'accueil doit être souvent réitérée tout en maintenant une grande rigueur au niveau du contenu intellectuel. La complicité entre les membres de l'équipe d'enseignants a été ressentie comme authentique par les groupes d'étudiants; c'est ce qui apparaît comme le plus important pour la réussite de l'aventure qu'est un enseignement en grand groupe.

Enfin, une grande cohérence sur le plan des exigences et des valeurs pédagogiques doit être assurée par l'équipe.

Projet d'innovation pédagogique aux Sciences comptables à l'UQAM

Le manque de ressources enseignantes a amené le Département de sciences comptables de l'UQAM à regrouper en un seul groupe plus de 150 étudiants (quatre groupes-cours)[3]. Cette situation a permis d'expérimenter une nouvelle formule pédagogique dans un grand groupe.

Ce cours obligatoire est suivi par les étudiants qui ont réussi au moins soixante-six crédits du programme de Baccalauréat en sciences comptables ou dix-huit crédits du programme de Certificat en sciences comptables. Ce cours vise l'acquisition de connaissances et d'habiletés reliées aux contrôles et à la vérification en milieu informatique.

Une conseillère pédagogique et le responsable du cours ont revu la planification de ce cours, dont: les objectifs spécifiques, le contenu détaillé, les stratégies pédagogiques et l'évaluation des apprentissages. Ils ont aussi convenu que les principaux objectifs pédagogiques seraient les suivants:

- favoriser des apprentissages plus efficaces (compréhension plus approfondie, synthèse plus complète);
- permettre des apprentissages utiles par la capacité d'appliquer les connaissances à des situations concrètes tant dans les examens des corporations professionnelles que dans la pratique professionnelle;

---

3 Le cours qui a permis l'expérimentation de cette nouvelle formule pédagogique s'intitule *Vérification avancée II* et porte le sigle SCO-6124. Monsieur Yvon Houle est le responsable de ce cours.

- favoriser des apprentissages durables;
- développer une plus grande autonomie de la part des étudiants dans la prise en charge de leurs apprentissages;
- parmi les outils pédagogiques utilisés, on note:
  - un recueil de questions et solutions favorisant l'autoapprentissage;
  - des périodes facultatives de questions où les étudiants étaient libres de poser au professeur toute question relative à la matière étudiée;
  - une fin de semaine intensive de travail où les étudiants devaient réaliser une simulation en équipe de trois ou quatre étudiants tout en étant encadrés par le professeur et trois spécialistes du domaine.

Suite à l'évaluation de cette expérience, on constate que, globalement, la majorité des étudiants sont satisfaits de la formule pédagogique et recommanderaient à d'autres étudiants de suivre le cours selon cette formule. Toutefois, les opinions des étudiants sont partagées en ce qui concerne la formule du grand groupe: 56 % disent que cela ne constitue pas une entrave aux apprentissages alors que 44 % pensent le contraire. Des commentaires font mention de la difficulté de maintenir les conditions d'écoute et de favoriser les interactions professeur-étudiants. Toutefois, 79 % des étudiants considèrent que l'encadrement donné par les animateurs lors de la simulation favorise les apprentissages (explications claires, aide pertinente pour surmonter les difficultés, etc.). Quant au professeur, il affirme que cette expérience d'enseignement à un grand groupe d'étudiants (plus de 150) a été très stimulante et que les conditions facilitant la mise en œuvre d'une telle formule sont essentielles au bon déroulement de ce type d'enseignement.

CONCLUSION

Pour résumer le présent chapitre, nous dirons d'abord que l'enseignement à des grands groupes ne va pas de soi. En effet, il requiert la collaboration de toutes les instances et personnes impliquées ainsi que la mise en place des moyens assurant sa faisabilité dans les meilleures conditions possibles.

Nous avons énuméré bon nombre de conditions d'efficacité et de moyens pour assurer le succès pédagogique d'un enseignement à des grands groupes. Ces conditions et moyens sont essentiels, mais non limitatifs. Plusieurs de nos professeurs et chargés de cours, fort prisés et recherchés pour l'excellence de leur enseignement dans les grands groupes, peuvent être d'excellents modèles et accepteraient de partager leur expérience avec leurs collègues.

Au départ, il existe un préjugé défavorable au grand groupe. La question n'est pas de savoir s'il faut enseigner à des grands groupes ou pourquoi il faudrait le faire. La question, pour un programme ou un département, est de savoir quand et comment l'enseignement à un grand groupe est la solution qui permettra d'assurer la qualité de la formation. La question, pour un professeur ou un chargé de cours, est de savoir s'il souhaite enseigner à un grand groupe, et dans un tel cas, comment il peut assurer une qualité minimale à son enseignement. Dans tous les cas, la préoccupation déterminante doit être celle d'une meilleure formation des étudiants.

Le présent chapitre a développé les conditions d'efficacité qui permettent de réaliser un bon enseignement en grand groupe. Elles révèlent que la chose est possible.

RÉSUMÉ
L'ENSEIGNEMENT À DES GRANDS GROUPES

Avantages:
- meilleure assurance de l'atteinte des objectifs pour tous et évaluation plus juste des apprentissages
- utilisation plus profitable de la qualité et de la compétence d'un enseignant ou d'une équipe d'enseignants
- défi académique intéressant pour l'enseignant
- autonomie plus grande des étudiants
- meilleure utilisation des ressources professorales

Inconvénients:
- non applicable à tous les types de cours
- non compatible avec toutes les personnalités et non réalisable par tous les enseignants
- contexte plus impersonnel et suivi plus complexe
- communication plus difficile entre enseignant et étudiants
- tâches de correction plus lourdes
- hétérogénéité plus grande de la clientèle étudiante

Conditions d'efficacité:
- participation et appui des enseignants, des étudiants, des modules et départements et de l'institution
- **pour l'enseignant:**
  - favoriser les attitudes et aptitudes suivantes:
  - engagement volontaire
  - compétent dans son champ d'études
  - pédagogue
  - habile communicateur
  - capable de performance
  - dynamique, enthousiaste
  - passionné

RÉSUMÉ (SUITE)
L'ENSEIGNEMENT À DES GRANDS GROUPES

- nécessité d'avoir recours à des auxiliaires d'enseignement qui répondent à certains critères:
- compétence
- disponibilité
- bonne formation et être bien encadré
- intérêt pour son travail
- capacité d'assurer une partie de l'encadrement
- nécessité de procéder à la formation de sous-groupes de travail
- **pour les étudiants:**
  - prise en charge de leur démarche
  - acquisition d'une discipline personnelle
- **pour les modules et les départements:**
  - soutien aux personnes impliquées
  - mise en place des conditions d'efficacité
  - reconnaissance des tâches
  - participation à la prise de décision
- **pour l'institution:**
  - répartition des tâches et des rôles
  - pratique d'attribution des locaux
  - réservation de l'équipement ou du matériel
  - aménagement de la grille horaire
  - coordination entre ressources humaines et physiques
- **en ce qui concerne la gestion de l'enseignement:**
  - soutien physique
  - locaux
  - entretien
  - matériel
  - ressources financières
  - encadrement des auxiliaires d'enseignement
  - contrôle des inscriptions

RÉSUMÉ (SUITE)
L'ENSEIGNEMENT À DES GRANDS GROUPES

- **en ce qui concerne le cours:**
  - préparation du cours:
  - définition des objectifs et du contenu
  - choix des méthodes, des stratégies et des moyens d'enseignement
  - planification de l'évaluation des apprentissages
  - préparation du plan de cours:
  - détaillé
  - clair
  - disponible le plus tôt possible
  - identification des objectifs et élaboration du contenu du cours:
  - objectifs bien définis
  - contenu bien préparé
  - types d'apprentissages et d'habiletés à transmettre à partir des objectifs de formation
  - contenu axé sur les types d'apprentissage souhaités
  - implication et motivation des étudiants
  - choix des stratégies d'enseignement et des activités d'apprentissage:
  - style d'enseignement
  - variété des méthodes d'enseignement
  - activités soutenant l'attention
  - recours à des sous-groupes
  - participation des étudiants
  - périodes de discussion
  - recours à des exemples pertinents
  - documentation pédagogique pertinente

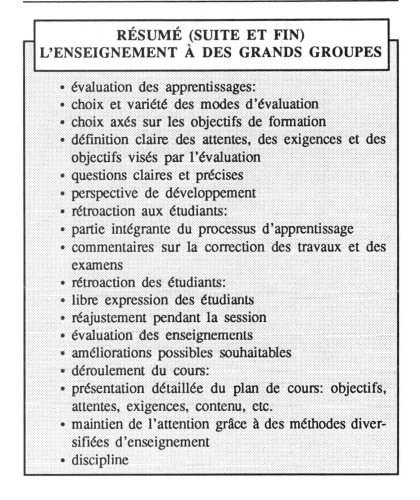

**RÉSUMÉ (SUITE ET FIN)
L'ENSEIGNEMENT À DES GRANDS GROUPES**

- évaluation des apprentissages:
- choix et variété des modes d'évaluation
- choix axés sur les objectifs de formation
- définition claire des attentes, des exigences et des objectifs visés par l'évaluation
- questions claires et précises
- perspective de développement
- rétroaction aux étudiants:
- partie intégrante du processus d'apprentissage
- commentaires sur la correction des travaux et des examens
- rétroaction des étudiants:
- libre expression des étudiants
- réajustement pendant la session
- évaluation des enseignements
- améliorations possibles souhaitables
- déroulement du cours:
- présentation détaillée du plan de cours: objectifs, attentes, exigences, contenu, etc.
- maintien de l'attention grâce à des méthodes diversifiées d'enseignement
- discipline

ENSEIGNEMENT À DES GRANDS GROUPES
Étapes de la planification
Liste aide-mémoire

PLANIFICATION À LONG TERME
(douze à six mois)

- Décider collectivement, au moins douze mois à l'avance, des enseignements à être donnés en grands groupes
- Établir les objectifs et niveaux d'apprentissage
- Pour chacun des grands groupes, choisir et nommer l'enseignant responsable
- Identifier et faire reconnaître formellement le rôle, les tâches et les fonctions de l'enseignant responsable ou de l'équipe
- Déterminer le cadre général dans lequel se fera l'enseignement à des grands groupes
- S'assurer d'un contrôle des inscriptions
- Prévoir les ressources nécessaires (production des documents pédagogiques, secrétariat et autres)
- Préparer le plan cadre du cours
- Lors de la préparation de la commande de cours, s'assurer de l'horaire le plus approprié compte tenu de la clientèle

---

ENSEIGNEMENT À DES GRANDS GROUPES
Étapes de la planification
Liste aide-mémoire (suite)

PLANIFICATION À MOYEN TERME
(six à trois mois)

- Procéder, au moins trois mois à l'avance, à l'affectation définitive des tâches de l'enseignant responsable
- S'assurer que les locaux sont adéquats
  - Choisir et réserver une grande salle genre amphithéâtre pour les rencontres en grands groupes (cours magistraux, tenue des examens)
  - Choisir et réserver de plus petites salles de cours pour les rencontres en sous-groupes (ateliers)
- Préparer un échéancier serré
  - Établir les dates et lieux des rencontres en grands groupes et en sous-groupes
  - Établir les périodes de rencontre pour l'encadrement des auxiliaires d'enseignement et des étudiants
  - Établir les dates de remise des travaux et de tenue des examens
- Établir en assemblée départementale la valeur de la charge de travail
- Déterminer le cadre général dans lequel se fera l'enseignement à de grands groupes
- Déterminer les ouvrages de référence de base

ENSEIGNEMENT À DES GRANDS GROUPES
Étapes de la planification
Liste aide-mémoire (suite)

PLANIFICATION À COURT TERME

Un mois avant la mise en place

- Choisir les auxiliaires d'enseignement
  - Vérifier leur disponibilité par rapport à l'échéancier
  - Les encadrer et leur donner la formation nécessaire
  - Répartir les tâches de chacun
  - Animation des ateliers
  - Présence lors des rencontres d'encadrement des étudiants
  - Surveillance des examens
  - Correction des outils d'évaluation
- S'assurer de la disponibilité du plan de cours au moins deux semaines avant le cours
- Préparer les autres outils pédagogiques
  - S'assurer de la disponibilité des ouvrages de référence de base qui couvrent l'ensemble de la matière et procéder à leur commande
  - Préparer d'avance les textes complémentaires et les cas pratiques qui serviront de support à l'enseignement et s'assurer de les déposer à temps à la polycopie
  - Réserver les ouvrages nécessaires au comptoir de la bibliothèque
- S'assurer que les besoins logistiques sont comblés
  - Microphone
  - Rétroprojecteur et/ou acétates électroniques
  - Support logistique nécessaire pour le transport et la distribution des documents
- Planifier les activités de concertation pour l'équipe des enseignants, s'il y a lieu, et pour les auxiliaires d'enseignement

ENSEIGNEMENT À DES GRANDS GROUPES
Étapes de la planification
Liste aide-mémoire (suite et fin)

Au premier cours
- Informer les étudiants concernant :
  - l'organisation pédagogique du cours
  - les modalités de remise des travaux
  - les modalités d'achat des outils de travail
  - les modalités d'encadrement des étudiants

En cours de session
- Mettre en place des moyens permettant la rétroaction
- S'assurer que la planification pédagogique prévue est bien respectée

À la fin de la session
- Procéder rapidement pour la correction des travaux et des examens
- Prévoir un mécanisme de remise des notes et de modification de note

CONCLUSION

Dans une université de grande taille ou de très grande taille, comme nous les connaissons aujourd'hui, il importe de proposer des solutions en vue d'améliorer la qualité de la formation, de satisfaire les attentes des étudiants et de répondre aux besoins de la société.

Nos analyses et réflexions nous ont amenés à conclure que l'enseignement aux grands groupes et la coordination des enseignements représentent des solutions fort pertinentes, et souvent nécessaires, aux problèmes engendrés par la multiplication des groupes pour un même cours.

En procédant à une recension des écrits, en menant notre propre étude et en mettant en commun nos réflexions, nous nous sommes appliqués, dans cet ouvrage, à recueillir et à présenter toutes les informations qui, à un titre ou à un autre, s'avèrent utiles à l'enseignement aux grands groupes et à la coordination des enseignements. Notre objectif était d'établir les paramètres pouvant contribuer à la mise en œuvre, dans les meilleures conditions possibles, des activités d'enseignement et d'apprentissage relevant soit de la coordination des enseignements, soit de l'enseignement aux grands groupes.

Nous tenons à rappeler que les motifs qui ont animé l'équipe de travail visaient une meilleure qualité de l'enseignement et renvoyaient essentiellement à des préoccupations d'ordre pédagogique.

Nous avons voulu ainsi susciter la réflexion et l'innovation. Celles-ci vont devoir se situer dans le contexte social, culturel, scientifique et financier auquel sont actuellement soumises les universités. Les contraintes financières qui frappent l'ensemble des institutions publiques affectent aussi durement les universités. Elles les obligent à augmenter leur productivité et à revoir profondément leur manière de faire, dont leur manière d'enseigner et de former les étudiants. Bref, les universités doivent faire plus et mieux avec moins de ressources.

En même temps, la qualité de la formation universitaire devient un enjeu majeur pour le développement des sociétés. En effet, la production et l'acquisition des connaissances, ainsi que la formation supérieure des ressources humaines sont déjà, pour les états et les entreprises, des éléments constitutifs — et décisifs — du capital de production dans un marché caractérisé par les échanges culturels et économiques à l'échelle internationale: et l'échange de la compétence intellectuelle en fait partie! Les universités elles-mêmes sont déjà en compétition les unes avec les autres sur un vaste campus qui dépasse déjà largement les frontières nationales et linguistiques.

Notre document, nous l'espérons, s'inscrira dans cette démarche collective vers une meilleure qualité de l'enseignement en milieu universitaire.

RÉFÉRENCES

Aronson, J.R. (1987). Six keys to effective instruction in large classes: Advice from a practitioner. *In* M. Gleason Weimer (dir.), *Teaching large classes well: New directions for teaching and learning* (p. 31-37). San Francisco: Jossey-Bass.

Brooks, R.P. (1987). Dealing with details in a large class. *In* M. Gleason Weimer (dir.), *Teaching large classes well: New directions for teaching and learning* (p. 39-44). San Francisco: Jossey-Bass.

Carpenter, J.R. (1982). Alternative models for large group Earth and environmental science courses: Large-group adapatation of confluent environment education. *Journal of Geological Education*, *30*(3), 136-141.

Chamberlin, L.J. (1969). *Team teaching, organization and administration*. Columbus, OH: Charles E. Merrill.

Close, J.J., Allan Rudd, W.G. et Plimmer, F. (1974). *Team teaching experiments*. Windsor, Great Britain: NFER.

Cole, J. (1991). Feedback: A one to one strategy. *Strategies*, *4*(3), 5-7.

Craig, E.D., O'Neil, J.B. et Elfner, D.W. (1979). Large-class retention: The effects of method in macroeconomics. *The Journal of Economic Education*, *Vol. 10*(1), 12-21.

Dixon, J.R. (1983). Limit enrollment — Or seek alternatives? *Engineering Education*, *74*(2), 84-85.

Frederick, P.J. (1987). Student involvement: Active learning in large classes. *In* M. Gleason Weimer (dir.), *Teaching large classes well: New directions for teaching and learning* (p. 45-56). San Francisco: Jossey-Bass.

Giauque, G.S. (1984). *Teaching extra-large foreign language classes* [description de projet]. Flagstaff, AZ: Northern Arizona University. (ERIC ED 247763)

Glass, G.V. (1982). *School class size research and policy*. Beverly Hills, CA: Sage.

Gleason, M. (1986). Better communication in large courses. *College Teaching, 34*(1), 20-24.

Gleason Weimer, M. et Kerns, M.-M. (1987). A bibliography of ideas for practitioners. *In* M. Gleason Weimer (dir.), *Teaching large classes well: New directions for teaching and learning* (p. 97-103). San Francisco: Jossey-Bass.

Hanslovsky, G., Moyer, S. et Wagner, H. (1969). *Why team teaching?* Columbus, OH: Charles E. Merrill.

Herr, K.U. (1989). *Improving teaching and learning in large classes: A practical manual* (version révisée). Fort Collins, CO: Colorado State University, Office of Instructional Services.

Hudson, H.T. (1985). Teaching physics to a large lecture section. *Physics Teacher, 23*(2), 81-84.

Knapper, C. (1987). Large classes and learning. *In* M. Gleason Weimer (dir.), *Teaching large classes well: New directions for teaching and learning* (p. 5-15). San Francisco: Jossey-Bass.

Larson, C.U. (1990, novembre). *Innovative approaches to teaching the large persuation class.* Communication présentée au 76th Annual Meeting of the Speech Communication Association, Chicago.

Legendre, R. (1993). *Dictionnaire actuel de l'éducation* (2ᵉ éd.). Guérin: Montréal.

Lewis, K.G. (1982). *The large class analysis project* (rapport final). Texas University, Austin, Center of Teaching Effectiveness.

Lewis, K.G., Woodward, P.J. et Bell, J. (1988). Teaching business communication skills in large classes. *Journal of Business Communication*, 25(1), 65-86.

Lewis, K.G. et Woodward, P.J. (1984, avril). *What really happens in large university classes?* Communication présentée au 68th Annual Meeting of the American Educational Research Association, New Orleans.

Lowman, J. (1987). Giving students feedback. *In* M. Gleason Weimer (dir.), *Teaching large classes well: New directions for teaching and learning* (p. 71-83). San Francisco: Jossey-Bass.

McGee, P. (1980, août). *Practical problems of mass instruction — A personal memorandum.* Communication présentée à l'Annual Meeting of the American Sociological Association, New York.

McKeachie, W.J. (1986). *Teaching tips: A guidebook for the beginning college teacher* (8ᵉ éd.). Lexington, MA: D.C. Health and Company.

Moss, G.D. et McMillen, D. (1980). A strategy for developing problem-solving skills in large undergraduate classes. *Studies in Higher Education*, 5(2), 161-171.

111

Murray, H.G. (1987). Acquiring student feedback that improve instruction. *In* M. Gleason Weimer (dir.), *Teaching large classes well: New directions for teaching and learning* (p. 85-95). San Francisco: Jossey-Bass.

Pearson, J.C. (1986, novembre). *Teaching a large lecture interpersonal communication course.* Communication présentée au 72th Annual Meeting of the Speech Communication Association, Chicago.

Pearson, J.C. (1990, novembre). *Innovative approaches to teaching a large interpersonal communication class.* Communication présentée au 76th Annual Meeting of the Speech Communication Association, Chicago.

Rosenkoetter, J.S. (1984). Teaching psychology to large classes: Videotapes, PSI and lecturing. *Teaching of Psychology, 11*(2), 85-87.

Roueche, S.D. (1984). Team learning in large classes. *Innovation Abstracts, 6*(10). (ERIC ED 248921)

Spretcher, S. et Pocs, O. (1987). Teaching sexuality: Two techniques for personalizing the large class. *Teaching Sociology, 15*, 268-272.

UQAM-BCP Jr. (1991). *La pédagogie des grands groupes et la coordination des enseignements.* Montréal: Université du Québec à Montréal.

Vanderstraeten, G. et Burney-Vincent, C. (1991). *Coordination de cours à grande clientèle.* Montréal: École Polytechnique de Montréal, Département de mathématiques appliquées.

Wales, C.E. et Nardi, A. (1981). What can you do to improve student performance in a large class? *Engeneering Education, 71*(5), 336-340.

Weaver, R.L. et Cotrell, H.W. (1987). Lecturing: Essential communication strategies. *In* M. Gleason Weimer (dir.), *Teaching large classes well: New directions for teaching and learning* (p. 57-59). San Francisco: Jossey-Bass.

Wiliams, D.D. *et al.* (1985). University class size: Is smaller better? *Research in Higher Education, 23*(3), 307-318.

Wilson, R.C. et Tauxe, C. (1986). *Faculty views of factors that affect teaching: Excellence in large lecture classes.* California: California University, Berkeley, Teaching innovation and evaluation services.

Wright, D.L. et Bond, S.C. (1985, avril). *Quantitative assessments of student differences: A faculty development approach for teachers of large classes.* Communication présentée au 68th Annual Meeting of the American Educational Research Association, Chicago.

Wulff, H., Nyquist, J.D. et Abbott, R.D. (1987). Students perceptions of large classes, *In* M. Gleason Weimer (dir.), *Teaching large classes well: New directions for teaching and learning* (p. 17-30). San Francisco: Jossey-Bass.

BIBLIOGRAPHIE

Allwright, D. (1989). *Is class size a problem? Lancaster-Leeds Language Learning in large classes* (rapport de recherche n° 3). England: Lancaster University, Department of Linguistic and Modern English Language; Leeds University, School of Education.

Brooks, D.W. (1984). Alternatives to traditional lecturing. *Journal of Chemical Education, 61*(10), 858-859.

Burney-Vincent, C. et Vanderstraeten, G. (1991). Coordination de cours à grande clientèle. *In* M. Ferland (dir.), *Actes du congrès de l'Association internationale de pédagogie universitaire* (p. 97-102). Laval: Université Laval, Services des ressources pédagogiques.

Comité d'étude sur l'enseignement à des grands groupes (1993). *Rapport du Comité d'étude du Département des sciences administratives sur l'enseignement à des grands groupes.* Montréal: Université du Québec à Montréal, École des Sciences de la gestion.

Famelart, M. (1991). Application de la pédagogie de la réussite, individualisation de l'enseignement et cours magistral pour des grands groupes d'étudiants du premier cycle universitaire: une expérience pilote. *In* M. Ferland (dir.), *Actes du congrès de l'Association internationale de pédagogie universitaire* (p. 197-203). Laval: Université Laval, Services des ressources pédagogiques.

Labelle, J.-M. (1991). Apprendre-enseigner en petits groupes dans un grand groupe. *In* M. Ferland (dir.), *Actes du congrès de l'Association internationale de pédagogie universitaire* (p. 235-240). Laval: Université Laval, Services des ressources pédagogiques.

Lescop, J.-Y. et Henri, F. (1989). *Rapport préliminaire sur la coordination de l'enseignement et la pédagogie des grands groupes.* Montréal: auteurs.

Marton, P. (1991). Projet d'un laboratoire d'apprentissage médiatisé interactif (L.A.M.I.). *In* M. Ferland (dir.), *Actes du congrès de l'Association internationale de pédagogie universitaire* (p. 681-686). Laval: Université Laval, Services des ressources pédagogiques.

Piccinin, S.J. (1991). La valorisation de l'enseignement dans quelques universités canadiennes: résultats d'une étude à l'Université d'Ottawa. *In* M. Ferland (dir.), *Actes du congrès de l'Association internationale de pédagogie universitaire* (p. 477-482). Laval: Université Laval, Services des ressources pédagogiques.

Rafie, M. (dir.), Bertin, F., Drolet, R., Trépanier, I. et Velasco, F. (1991). *Rapport-synthèse sur la pédagogie de grands groupes.* Montréal: Université du Québec à Montréal, Département de sociologie.

Thériault, M. (1988). *Rapport final de la réalisation accomplie dans le cadre du projet «Proposition d'une pédagogie de grands groupes dans le cadre de l'enseignement du cours JUR 1031».* Montréal: Université du Québec à Montréal, Département des sciences juridiques.

• Cap-Saint-Ignace
• Sainte-Marie (Beauce)
  Québec, Canada
  1994

«L'IMPRIMEUR»